[英] 罗兰·布鲁克 著
李娟 译

马背上的女孩 ❹

意外来客

天津教育出版社
TIANJIN EDUCATION PRESS

图书在版编目（CIP）数据

意外来客 /（英）布鲁克著；李娟译. —天津：天津教育出版社，2012.4
（马背上的女孩）
ISBN 978-7-5309-6692-1

Ⅰ. ①意… Ⅱ. ①布… ②李… Ⅲ. ①长篇小说－英国－现代 Ⅳ. ①I561.45

中国版本图书馆CIP数据核字（2012）第047018号

意外来客

出 版 人	胡振泰
作　　者	［英］罗兰·布鲁克
译　　者	李　娟
监　　制	李　娟 陈禺舟 苗　洪
责任编辑	常　浩
特约编辑	田　静
版式设计	蒿薇薇
出版发行	天津教育出版社 天津市和平区西康路35号　邮政编码　300051 http：//www.tjeph.com.cn
经　　销	全国新华书店
印　　刷	北京温林源印刷有限公司
版　　次	2012年4月第1版
印　　次	2012年4月第1次印刷
规　　格	32开（750×1120毫米）
字　　数	100千字
印　　张	7.5
书　　号	ISBN 978-7-5309-6692-1
定　　价	19.80元

感谢我的父母给我买了第一匹小马驹，让我梦想成真。

人物介绍

艾米・弗莱明	本书的主人公，一个十五岁的少女。
卢・弗莱明	艾米的姐姐。
玛丽恩・弗莱明	艾米的妈妈。
杰克・巴特利特	艾米和卢的外公。
泰・鲍德温	赫特兰德马场十七岁的小伙计。
苏拉娅・马丁	艾米关系最好的闺蜜。
本・斯蒂尔曼	赫特兰德马场新来的马厩伙计。
丽莎・斯蒂尔曼	本的姨妈，菲尔德阿拉伯种马场的主人。
克莱尔・惠特莉	艾米的新同学。
惠特莉夫人	克莱尔的妈妈。
马特・特里温	艾米的男同学。
斯科特・特里温	当地的一名兽医，马特的哥哥。
马丁夫人	苏拉娅的妈妈。
艾什莉・格兰特	艾米的同学，一个有天赋的骑手。
瓦尔・格兰特	艾什莉・格兰特的妈妈，绿石南马场的主人。

马匹介绍

珀加索斯	艾米爸爸以前的参赛马。
瑞得	本的马，一匹俊俏的栗色马。
火石	克莱尔的马，聪明，但很难驾驭。
桑旦斯	一匹鹿皮小马驹，脾气暴躁，但深得艾米喜爱。
茉莉	一匹俊俏的黑马驹，性格极好，人见人爱。
诺言	丽莎的一匹马，不肯戴马具，是艾米治好了它。
吉普赛	一匹母马，被送到赫特兰德马场来，治愈弓背跃起的毛病。
独奏	赫特兰德马场的代养马。
查理	赫特兰德马场的代养马。
穆奇	赫特兰德马场的代养马。
常青藤	赫特兰德马场的代养马。
杰克	赫特兰德马场的代养马。

前情提要

《赫特兰德马场的重生》是《马背上的女孩》的第三本，承接第二本《斯巴达的幸福》，故事继续从被悲伤笼罩的珀加索斯开始，它是过去留给艾米的唯一纪念，但妈妈离开后，它失去了求生的意志，身体也日渐衰弱。艾米一边精心照顾它，一边打理赫特兰德马场。她只想努力去做妈妈曾经做过的事，但一切都开始变得分崩离析。要让母亲留下的爱马离去，这是它获得解脱的唯一方式，艾米鼓起勇气做出选择。然而，一波未平，一波又起，赫特兰德马场面临着前所未有的危机，几乎要关门大吉。危难面前，艾米决定听从姐姐的建议，举办“开放日”，向人们展示他们如何倾听马儿的心声。开放日大获成功，赫特兰德马场得救了！艾米也终于明白，人生要向前看，而不是抱着过去不放。

第一章

艾米给一只水桶加满水后看了一眼手表。十二点半了，苏拉娅随时会到。她将水桶提到独奏的马厩里，然后走到车道尽头去等自己的好朋友。

车道两边，大小马匹在开阔的围场里惬意地玩耍，十月的微风吹皱了它们的皮毛，偶尔挟着火红或金黄的树叶掠过低矮的草地。

只有一处围场是空的。那里栽种了一棵孤零零的橡树苗，树底四周的泥土还是新鲜的。

艾米朝木门走去。“珀加索斯。”她喃喃道，凝视着这棵小树苗，悲伤席卷而来。她不敢相信珀加索斯被埋在这里才不过三周。

“噢，珀加索斯。”艾米回忆着这匹大灰马。

它年轻时曾是世界最负盛名的障碍赛明星马之一。但艾米记忆最深刻的却是幼小的艾米在它腿边玩耍、烦恼时蹭它的情景。几个月前妈妈在一起事故中不幸遇难，是它帮艾米度过了噩梦时期，它是艾米的挚友。

艾米凝视着那棵小树苗，喉咙发紧。过去几个月，一切都变了，她暗自想。妈妈走了。珀加索斯也走了。而卢回来了。

卢重返赫特兰德马场是近期少有的几件好事之一。之前，她一直在曼哈顿工作，妈妈遇难后，她才决定辞去银行的工作，在赫特兰德马场定居下来。赫特兰德马场是妈妈玛丽恩在外公的农场上建立起的一个马匹救护所。

一辆车沿着车道开来，打断了艾米的思绪。她扭头一看，苏拉娅的妈妈正开车从车道上驶来，她最好的朋友正在前排客座上朝她招手。艾米深吸了一口气，用力吞了吞

口水，按捺下痛苦回忆带来的伤痛，也朝苏拉娅招手，逼自己微笑，掩饰内心的伤悲。

“嗨！”苏拉娅边喊边摇下车窗，“对不起，我来迟了。路上妈妈去买了些东西。”车停了下来，苏拉娅跳下车，乌黑的卷发在肩头跳跃。“待会儿见，妈妈，”她说，“谢谢你开车送我过来。”

“不用谢，”马丁夫人冲艾米微笑着说，“那现在，你们两个丫头玩去吧。”

艾米和苏拉娅咧嘴相视一笑。“那还用说。”两人立即异口同声地答道。

半个小时后，艾米抓紧了桑旦斯身上的缰绳，朝横卧在小路一侧的一根树干走去。“来吧，小伙子，”她小声说，“让我们跳过去！”

“小心，艾米，”苏拉娅喊道，“那一跳很高。”

“这难不倒桑旦斯。”艾米答道，将她那匹鹿皮小马驹转向了那根树干。

5

看到障碍，桑旦斯兴奋地一甩头，朝前冲去，但艾米早已做好了准备。她坐在马鞍里毫不费力地移动着。“放松。”她小声说，手指爱抚着桑旦斯热乎乎的脖子。

这匹小马驹凝神听她的指令，竖起了耳朵，接着它放松下来，垂下头，浑身绷得不那么紧了。

艾米夹了夹腿。桑旦斯只跨了五大步就接近了树干。那树干矗立在他们面前，又粗壮又结实。接着，桑旦斯大步完美地起跳，动作优雅地跃入空中，肌肉隆起。艾米瞥到他们身下那粗壮多节的树干一闪而过，感到一阵眩晕，她和桑旦斯就像在空中飞驰一般。接着她听到马蹄落地的叩击声，桑旦斯干净利落地着陆在树干的另一端。他们跃过去了！

“好小伙儿！”艾米开心地喊道。

“真是太酷了！”苏拉娅说，敦促茉莉小跑向前去和他们会合，“这是它跳得最好的一次，艾米。”

“我也觉得！”艾米咧嘴笑道，拍了拍桑旦斯的脖子，“这太不可思议了！”

两匹小马驹走近了，茉莉伸长脖子友好地打招呼。桑旦斯却愤怒地长啸了一声，向上一甩头，耳朵后贴。“快停下，桑旦斯！”艾米喊道，赶紧拉它走开了。“茉莉是你的朋友。”

这匹鹿皮小马驹亲昵地蹭着她的腿。桑旦斯对大部分的马和人都没有好脾气，却唯独喜欢艾米。艾米最初是在马市上看到它的。当时的桑旦斯又瘦又抑郁，谁进它的围栏它就攻击谁，最后是艾米说服妈妈买下了它。她们把它带回赫特兰德马场，在这里，艾米渐渐赢得了它的信任和爱。

“你有没有打算让它去参加什么比赛？”当她们再次沿着小路前行时，苏拉娅问道。

艾米摇了摇头。“没时间啊。自从开放日后，我们所有的马厩都满了，还有长长的等候名单，人们等着把他们的马儿送到我们这儿来呢。”

就在两周前，卢在赫特兰德马场组织了一天开放日，邀请人们来参观和体验赫特兰德马场是怎么治疗身心遭受伤害的马儿的。艾米和赫特兰德马场十七岁的马厩伙计——泰进行了演示，开放日大获成功。自此，问题马匹的主人的问询就应接不暇。

“能有许多代养马是好事，”苏拉娅说，“我是说，现在你知道你能延续妈妈的事业了，也没有了金钱方面的压力，肯定大大松了一口气。”

艾米点了点头，想起了开放日之前赫特兰德马场面临的种种困难。妈妈死后，赫特兰德马场因无人问津和资金匮乏，差点儿关门大吉，但现在，谢天谢地，情况发生了翻天覆地的变化，他们的生意好得不得了。

“是的，我很高兴我们有得忙，”她说，“即使这意味着我没有太多时间去参赛。”她拍了拍桑旦斯的脖子。“但我想现在有本帮我们，应该会轻松些。”

本是菲尔德阿拉伯种马场主人丽莎·斯蒂尔曼的外甥，丽莎事业有成。在艾米治愈菲尔德种马场的一匹赛马后，丽莎就被深深打动了，于是她安排本来赫特兰德马场工作，让他来学习她们的驯马方法。本今天下午就会到。

8

苏拉娅瞟了艾米一眼。“你觉得他有女朋友吗？”

“问这个干吗？”艾米咧嘴笑道，“难道你看上他了？”她和苏拉娅都见过本，本来过赫特兰德马场，是替他姨妈送马过来接受治疗的。

本高大帅气，尽管并不是艾米心仪的类型，但似乎还不错。

“你不得不承认他很帅，”苏拉娅说着扬起了眉头，“可怜的家伙，我猜这里他一个人都不认识。也许我应该带他四处参观参观。”

艾米假装不懂她的意思。“苏拉娅，你不必亲自出马。我肯定，有泰就够了，他巴望着赫特兰德马场多来一个帮手呢。”

“噢，不，”苏拉娅快语道，“我敢说我来当向导比泰要好多了。”

“好吧，我很期待见到本的马，”艾米说，“那是匹马术赛马。本说除非他的马能一起来，否则他不会到赫特兰德马场来工作。”

“那他几点到？”苏拉娅问道。

“两点。”

苏拉娅瞟了一眼手表。“那我们该动身回去了，差不多一点半了。”

艾米收紧缰绳。“那还等什么？我们出发吧！”

艾米和苏拉娅朝通往赫特兰德马场后面的小路走去。走出树林，赫特兰德马场的牲口棚和小棚屋就赫然出现在她们面前。户外围场四周被乌木栅栏圈起，有两个训练场，后排牲口棚有十二间马厩，前排牲口棚和那栋历经风吹雨打的白色农舍构成了一个L形。

当艾米拉着桑旦斯停下时，她听到马蹄愤怒地踢打牲口棚墙壁的声音。

“停下！”泰的声音从牲口棚里传来，“放松，丫头！”

“你去吧，”苏拉娅说，“我来看桑旦斯。”

“谢谢。”艾米把桑旦斯的缰绳扔给苏拉娅，走进了牲口棚。一条宽阔的走廊将两旁的马厩一分为二。从后排的一间马厩里传来马蹄击打墙壁的巨响，艾米意识到那是“舞蹈家”的马厩。

舞蹈家是一匹身上涂了颜色的母马，它被人丢弃，饿得半死。动物慈善组织发现它时给她们打来了电话。艾米和泰立即同意帮忙。这匹母马两天前刚到，它的身体正在逐步康复。

“你没事吧，泰？”艾米喊道。

泰从舞蹈家的半截门上探出头来，他乌黑的头发凌乱不堪。“勉强应付。”他答道，用胳膊擦了把脸。

“出什么事了？”艾米问道，朝马厩里望去。舞蹈家正站在后墙边，身体瑟瑟发抖。

“我只是捡起它的马掌，它就发疯了。”泰说着摇了摇头，“它挣脱了缰绳，那样子像是要把整个马厩踢翻。有几次它把我逼到角落里，好在没有击中我。现在它平静下来了。”

艾米看着这匹受惊的母马。“喂它吃点儿板栗粉，让它平静一下怎么样？” 她建议道，喂板栗粉是妈妈最喜欢给烦躁不安的马使用的食疗法之一。

泰点了点头。“好主意。你留在这里陪它，我去拿。”他说着匆匆离去。

这匹母马在马厩后面不安地走来走去，肌肉紧绷，肋骨毕现。它脸边是马笼头刺进皮肤留下的伤痕，腿上有怕它跑掉，用绳子绑得太紧留下的勒痕。

“没关系，丫头，”艾米柔声说，“你在这里很安全，再没有人能伤害你了。”

这匹母马不确定地抖了抖耳朵。

泰拿着一个小铁罐走过来，递给艾米。“给，”他说，“也许你来更好，我可能让它想起了它的前一任主人。”

艾米旋开铁罐盖子，罐子里装着沙砾状的灰粉。她取出一点，放在掌心揉搓，走上前，肩膀略微侧对着这匹母马，眼神低垂。

舞蹈家紧张不安地走来走去。艾米停下来，把手掌递给这匹母马，耐心等待着。

过了一会儿，这匹母马转身喷了喷鼻息，伸长鼻口朝艾米张开的手挪去，它吸了吸，鼻孔张大了。艾米等了片刻，柔声安慰，慢慢靠近，伸出另一只手抚摸舞蹈家的脖子。随着她手指的触碰和爱抚，这匹母马慢慢放松下来。艾米的手指一直在母马的脖颈上按摩，一直到它的头。

“干得好。”泰低声说。他手里也揉搓着一点儿粉末，朝这匹母马靠近。马儿警惕地望着他，但接着它伸长了脑袋，接受了他的抚摸。“可怜的丫头，”他揉着马儿的脖子说，“你一直过得不太好，对不对？”

“嗯，从现在起会好很多的。”艾米说。

他们默默地在那里站了一会儿，一起抚摸着这匹母马。

艾米注视着舞蹈家棕白色相间的腿上深深的伤痕。“也许你碰到它的腿，它以为你要用绳子捆它。”她猜道。

泰点了点头。“我想，对它我们得慢慢来。”

“像以往一样。”艾米微笑地看着他说。

她不知道如果没有泰她该怎么办。他那么精通马，妈妈死后，她们一家人一时接受不了这巨大的打击，多亏有他接管了院子。她知道她们很幸运有他这个伙计。他从来没有把在赫特兰德马场的工作当做一件寻常的事情，对泰来说，这是一种生活方式。

泰低头看着手里的铁罐。“你妈妈的魔粉又发挥了奇效。”

艾米点了点头。这是田纳西的一位老骑手告诉妈妈的。这种灰色的粉末里面包含着草药粉和栗木配料——一种长在马腿里面的角状物质，它们太长时兽医就把它们剪掉。妈妈记下了这味神奇的药粉，自此以后就一直在赫特兰德马场使用。

“你妈妈太神奇了，”泰说，在手里拨弄着铁罐。“她懂的真多。有时候我想，要是我能像她那么懂马，有她一半渊博就好了。”

“你已经很不错了，泰。”艾米吃惊地说。

“但还不够好，”泰说。他摇了摇头，“我从她那里学到了许多，艾米。有时候我觉得我所知道的不过是冰山一角。我讨厌这点。我总是忍不住想：要是我懂得更多，我就能更好地帮助马儿们了。”

“你不能这么想，泰。”艾米飞快地说，走近了他，她想要让他明白她懂他的意思。“当珀加索斯病入膏肓，我帮不了它的时候，我也有同样的感受。但后来我意识到，这世上有我不知道的东西，我只能接受，我所能做的就是量力而为。”她顿了顿，眼睛搜寻着他，“你知道妈妈也会这么说。”

泰慢慢点了点头。“是的，我想是的。”

他们沉默地站了片刻。

这片沉默被沿着走廊跑来的脚步声打断了。“嘿，你们两个！车道上来了一辆拖车！”苏拉娅走到舞蹈家的马厩门边，“拖车漂亮极了，快去看看吧。”

“肯定是本。”艾米看着泰说。

他点了点头。他们离开舞蹈家，匆匆穿过院子。一辆

15

亮闪闪的白色拖车在屋子前停下来，车身印着绿紫相间的条纹和一个紫色的饰章，驾驶室门上饰有“菲尔德阿拉伯种马场”的徽章。卡车一停，本·斯蒂尔曼就跳了出来。

“嗨，大家好。”他打着招呼，挺直了高大的身板。

艾米走上前。“嗨，我是艾米·弗莱明。你帮你姨妈送诺言来这里的时候我们见过。这是我朋友苏拉娅·马丁。”她说着把苏拉娅推上前。

“嗨。”苏拉娅咧嘴笑着打了声招呼。

“是的，我记得。”本微笑道，“嗨。”

“你也见过了泰了。”艾米说。

“欢迎来到赫特兰德马场。”泰伸出手。

他们握手的时候，农舍门开了，卢走了出来。她在本送诺言来赫特兰德马场时也见过他。“再次欢迎。”她微笑地望着本说。

“很高兴这次能正式见到你。”本说。

“稍后见，我正要去镇上。”卢说着朝她的小汽车走去。

就在这时，从拖车里传出马儿不耐烦的跺脚声。

“听上去好像瑞得想出来。”本说。

“来吧，我来帮你。”泰自告奋勇。

本走进拖车里，而泰则放下了斜板。艾米急切地望着拖车，猜想本的马会是什么模样。

泰将斜板放到地上。一阵马蹄得得声响，突然一匹明亮的栗色马紧张地冲下斜板，本在后面用力拉紧缰绳。这匹马一出来就停住了，它高昂着头，四下张望。

“哇！”艾米惊呼道，“太漂亮了！”

“它叫瑞得，”本神采飞扬地介绍道，“它是一匹纯种汉诺威杂交马。”

艾米走近欣赏着瑞得英俊的脑袋、紧致的后背和强壮干净的腿。艾米估算着，它大约有十六点二手①，它身体的每一处无不透露出它是匹赛马。“它多大了？”艾米问道，她让瑞得嗅她的手，还拍了拍它结实的脖子。

①“手”是测量马的数量单位。

“六岁了，”本说，“它三岁的时候我姨妈买下来送给我的。”他瞟了一眼拖车，“有个喜欢马的有钱姨妈还是有些好处的。”

艾米听出他的声音有点异样，不禁朝他看去，她觉察到他脸上一闪而过的一丝痛苦。

“有些好处？”泰反问道。他正在收斜板，显然没看到本刚才的神色。“你太小瞧你姨妈了！”

“是啊。”本咳了两声，神情瞬间变得清朗了，声音也轻快起来。“我想你说得对。那我要把它带到哪间马厩里？”他问艾米。

“顶头那间。”艾米答道，指向马厩，“已经给它铺好床了。”

本咂了咂舌头，拉着瑞得朝前走去。苏拉娅和泰整理拖车，艾米走到本前面，打开了马厩门。“你经常带瑞得参赛吗？”她问道。

本点了点头，开始解开马腿上的绑带，那是为了保护它的腿而绑的。“它很有天赋。我一直带它参加预备级跳马赛，看它节节获胜的样子，我想它会晋升得很快。”他抱着绑带站起身。“我们要一路闯到巅峰，”他自信地说，“我确信我们能成功。”

艾米吃惊地看着他，他声音里没有一丝怀疑。

“那么，”本说着走出马厩，“住在这个地方感觉怎么样？”

“挺好的。”她回答道。

“你得带我四处参观参观。”本说。

艾米突然想起苏拉娅早先说过的话，看来，绝佳的机会来了。“嗯，我为这些马儿的事总是忙得脱不开身，”她说，他们穿过院子朝站在拖车边的苏拉娅和泰走去，“但苏拉娅有大把的空闲时间。”

“是不是有人在说我的名字？”苏拉娅回转身来。

“是啊，我正在跟本说你很高兴带他四处参观。”艾米回答着，意味深长地看了她一眼。

“是的，当然了！”苏拉娅说，急切地走上前，“随时都可以。”

“谢谢。”本微笑地看着她，“那咱们一言为定。”

“你现在就想看看院子吗？”艾米提出，“那些马你都没见过，然后我们会给你讲讲我们在赫特兰德马场是怎么工作的。”

“你知道的，事实上，这些事最好留到明天再来，”本打着哈欠说，“我要回住处整理下行李，还得休息一会儿。”

“噢……那好吧，”艾米说，有点儿吃惊。她觉得如果是她要在一个新马场开始工作，她想要做的第一件事就是去看看那些马。“好的，当然行。去吧。”

“太好了，”本说，“嗯，我去卸下瑞得的马具就去。”

艾米、泰和苏拉娅帮他把一大堆地毯、马具和梳洗工具拿到马具室，然后本解开了拖车上的绳子，走进了拖车驾驶室。“我待会儿回来喂瑞得。”他说着发动了引擎。

他走后不久，卢就回来了。“我刚在路上碰到本了，他已经走了吗？”她下车时问道。

艾米点了点头。

“我正打算问他今晚要不要留下来吃顿晚餐呢，”卢说着皱起了眉头，“噢，好吧，我想我要给他打个电话，我有他的电话号码。”她看着苏拉娅和泰。“也欢迎你们俩留下来吃晚饭。”

“这太好了，”泰说，“谢谢。”

“可惜我不能，”苏拉娅遗憾地说，“今晚我要回去给我妈妈庆祝生日。但不管怎么说还是要谢谢你的好意，卢。”

卢朝车道望去。“真奇怪，本居然没有多待一会儿。我还以为他会在这里待几个小时。外公肯定很遗憾没见到他。”她摇着头回到了房子里。

“那你们觉得他怎么样？”他们往回朝院子里走时，艾米问泰和苏拉娅。

“帅得没法说！”苏拉娅兴致勃勃地说。

“是啊，毕竟，还有什么比这个更重要的呢？”泰有意逗她。

苏拉娅作势要揍他。

艾米咧嘴笑了。“好啦，你怎么看，泰？”

“看起来还不错。”泰说着耸了耸肩。

“是的……还有呢？”艾米逼他说出更多。

“其他没有了。”泰说。他看着艾米和苏拉娅充满期待的脸。“好吧，你们俩还指望我说什么呢？”他抱屈道，“我见这家伙还不到五分钟。”

“好吧，我也只见过他五分钟，我觉得他很好。”艾米说。她转向苏拉娅，“他跟我讲了瑞得。它一直在参加障碍赛预赛，本确信他们很快就能升级。”

“我不知道什么时候我们能看到他骑马，”苏拉娅无比向往地说，眼神迷离，“他那么健壮，有型！”

泰扮个鬼脸。“噢，拜托！”他促狭地朝她们眨了眨眼，走进了马具室。

艾米和苏拉娅咧嘴相视一笑，跟上了他。马具室里堆着一摊本的东西。

“三个马鞍。”泰说，开始在原本就已经很拥挤的马鞍架上挪出地方。

“全都是上好的。”艾米补了一句，拿起一个向前切入式的障碍赛马鞍，欣赏着那柔软油亮的皮革。

“我真希望自己也有一个能给我买瑞得和这些好东西的姨妈。”苏拉娅说。

泰点了点头，挂起一个马鞍。“毫无疑问，本是个幸运的家伙。”

艾米想起本脸上一闪即逝的神色。当时他似乎并不为自己的好运气感到兴奋，但能在一个资金雄厚的大种马场长大肯定很棒。也许他只是舍不得离开菲尔德，有点儿生自己姨妈的气。“想象一下，住在像菲尔德那样的地方该有多好啊。”她大声说。

“是啊，”泰点头表示赞同，“我也想。”

艾米看着他。泰家里很穷。为了帮父母减轻家里的负担，他十五岁时就开始在赫特兰德马场当兼职马厩伙计。一年后他辍学了，玛丽恩·弗莱明给了他一份全职工作。

“你知不知道为什么本在他姨妈那里长大，而不是和父母亲一起？”苏拉娅问道。

“我想这和他从小就父母离异有关，”艾米说，想起卢和丽莎·斯蒂尔曼最初讨论本到赫特兰德马场来时的对话，“但事实上，我对此事知道的并不多。我想今晚我们也许能打听到更多。”

“要是我能留下来就好了，”苏拉娅无限向往地说，“你要向我保证把他的全部底细都打听清楚，尤其是，比如：他有没有女朋友。”

“噢，你说的还真是最重要的事情呢！”艾米冲她咧嘴笑道，“别担心，我一定不会让你失望。”

第二章

艾米和泰正在配晚上的饲料，这时本回到了赫特兰德马场。他走进饲料室，跟着忙起来。泰抬头问本："你的行李收拾好了？"

本点了点头。"嗯，谢谢。"他四下打量着巨大的铁桶、石头铺就的地板和木头横梁。"这么说，这就是你们放饲料的地方，对不对？"

"是的，"艾米说，"你想喂瑞得吃什么只管拿。那边的橱柜里有鳕鱼油和其他辅料。"她指着饲料室的一个角落，"那边码的一堆桶你都可以随便用，全都是空的。”

“给，”泰说，给他拿来了一只桶。

“谢谢，”本说，“但我把瑞得用的桶带来了。它们在拖车里。”

他几分钟后回来了，拿着几个铁桶，每一个上面都印着菲尔德的徽章，桶身用干净整齐的黑色字体写着瑞得的名字。本往其中一个桶里舀了些燕麦和紫花苜蓿，然后往橱柜里张望。

“哇！”他喊道，盯着塞得满满的架子，架子上装满了干草药和乡下的治疗药物——蜂蜜、小苏打、食醋和白垩。“你们这里用的配料可真多。”

“嗯，我们不仅把草药用做配料，”艾米说，“还用它们来治疗马的行为问题和身体疾病。如果你喜欢，喂完马后，泰和我可以给你粗略讲讲这些草药的一些功效，行吗，泰？”

“当然，”泰热情地说，“你会为它们的一些疗愈功能感到惊奇的。”

“嗯，要不换个时间吧，”本漫不经心地说，“我想去看看瑞得。”他快速拌好饲料，提着桶走出了饲料室。

艾米直冲泰皱眉。“这太奇怪了，我原本以为他真感兴趣。毕竟，他来这里是为了学习我们的治疗方法。”她听到前排马厩里的马不耐烦地撞门的声音从院子里传来。它们肯定是看到本提着瑞得的饲料桶经过。

“他应该帮我们喂其他马的，”她有点儿生气地说，“这下好了，其他马没吃到东西肯定要发疯了。”

“我懂你的意思，”泰耸了耸肩，“但他才刚刚到，也许只是想确认瑞得是不是安顿好了。”

“我想是吧，”艾米说。她提起一摞饲料桶，“好吧，我们得趁着马厩没被踢倒前赶紧喂饱它们的肚子。”

七点钟，卢来到院子里。“晚餐差不多准备好了！”她喊道。

艾米和泰从马具室出来，恰好看到本从瑞得的马厩里出来。

“它怎么样？”泰问道。

“适应得不错。”本回答道，和他们一起穿过院子。

烤火腿的香气弥漫在厨房里。杰克·巴特利特——艾米和卢的外公正在水槽边沥干一锅豇豆。“嗨，”他转身向本伸出手，“杰克·巴特利特。”

“见到您很高兴，先生。”本说着和他握了握手。

泰和艾米开始摆桌子，卢给他们拿来了饮料，本看了一会儿厨房墙壁上的照片。

“照片里的是你妈妈吗？”他问艾米。

她点了点头，走到松木梳妆台边。“是的，那是她在英格兰参赛时的照片。小时候我们住在那里。”

“那你们为什么要搬回来？”本问。

“因为我爸爸出了事故。”艾米说。

“噢，我姨妈跟我讲过，”本说，“他是在比赛中出事的，对不对？”

艾米点了点头。她父亲一直骑着珀加索斯参加世界锦标赛。那次珀加索斯的腿卡在了顶杠上，摔了下去。它和父亲都身受重伤。当时艾米只有三岁，对这件事并没有什么印象。但本说话时，她扭头看了一眼，发现卢皱起了眉头。卢当时已经十一岁，她对这件事的记忆要清晰得多。

“那事故发生后你爸爸怎么样了？”本问艾米。

“他脊椎受伤了，坐了一段时间的轮椅。”艾米解释道，“尽管他的身体恢复了一些，但医生说再骑马对他来说太危险。”她的声音哽咽了，“他无法接受现实，逃跑了——抛弃了我们，也不顾我们养的马匹。他显然不想再和我们有任何关系，于是妈妈决定搬回这里和外公一起住。”

“事实不是这样的，艾米！”

艾米转身，看到卢正对她怒目而视。“爸爸的确尝试过回到妈妈身边重修旧好。这你是知道的，我们找到了那封信，还记得吗？”

艾米怎么会忘记呢？当她和卢在清理妈妈的房间时，发现了一封她们爸爸写来的信，他恳求和玛丽恩复合，这封信实在让艾米太震惊了。

卢碧蓝的眼睛闪闪发光。“如果妈妈留在了英格兰，而不是像你说的那样跑掉，那也许他们就有机会重新在一起！”

“你根本不知道当时的情况，”艾米激动地说，“妈妈能怎么办？待在那里等待爸爸回心转意？”

“是的！我们本就该那么做！”卢喊道。

“艾米！卢！”杰克·巴特利特说着走上前来，“够了！”他的声音变得柔和了，“我知道你们俩都情绪激动，但当时发生的很多事都是你们不知道的，现在别对你们的父母评头论足了。”

卢猛地转身，回到了餐具柜旁。艾米知道姐姐和她对父亲抱着不同的感情。父亲走后，卢伤心欲绝，不愿接受他不会再回来的想法。玛丽恩想搬回到弗吉尼亚，卢却不肯离开，恳求母亲允许她继续待在英国的寄宿学校。妈妈在世时，卢非常清楚地表明了自己的态度，她认为搬到弗吉尼亚是对父亲的背叛。

本清了清喉咙。“于是你们就搬到这里来住了？”他问，打破了沉默。

艾米静静地答道：“是的，妈妈带着珀加索斯来到了这里。珀加索斯的心灵受到了创伤，传统的药物只能治疗它身体上的伤，于是她开始探索天然疗法。珀加索斯恢复后，妈妈就创建了赫特兰德马场，她将在治疗珀加索斯的过程中摸索到的方法付诸实践，帮助其他马。”

“我懂了，”本说，“你妈妈从此再也没有参加比赛？”他问道。

“是的，她对这里的工作更感兴趣。”

“你呢？”本问道，坐了下来，“你参赛吗，艾米？”

“偶尔，”艾米回答道，“我一有时间就带我的小马驹桑旦斯去参加马驹猎手赛。”

“那你呢？泰？”本问道。

“不，”泰答道，“我没兴趣。”

“一点都不感冒？”本颇为吃惊地问。

泰摇了摇头。“偶尔也有人请我骑马，但我真的对比赛不感兴趣。我觉得治疗受伤的马更有意思。”

艾米笑意盈盈地望着泰，她懂他的感受。

但本看起来好像根本不懂。“我没法子那样，”他说着摇了摇头，“我的意思是，你怎么能证明自己擅长什么？至少在赛场上人人都能看到你驾驭马的天赋。”

泰耸了耸肩，“我不在乎别人的看法。”

泰和本的眼神胶着了片刻，艾米感到空气中弥漫着一丝紧张。

“好了，小伙子们，”杰克·巴特利特大声宣布道，“要开饭了。”

随着突然的一阵忙碌，紧张气氛瞬间消融了。大家入座时椅子腿吱吱嘎嘎地响，卢开始把一盘盘烤火腿、一篮子玉米面包和一碗堆积如山的豇豆分给各位。

“看着让人直流口水啊。”本说着吃了起来。

“我想为赫特兰德马场来的新人庆祝下。”等到大家的盘子码得老高时，杰克·巴特利特说，他举起了酒杯。

“欢迎本，”他说，“希望你在这里过得愉快。”

大家都举起了酒杯。“为本干杯！”他们齐声高喊。

本露出随和的笑意举起酒杯回敬道：“为赫特兰德马场干杯。”

第二天早上，当艾米的闹钟像往常一样响起时，她呻吟了一声，按掉了闹钟。她昨晚午夜才上床，此刻她最不想做的事就是爬起来面对新的一天。然而马儿们一如既往地在等待。

她打了个哈欠，钻出了被窝，半闭着眼睛穿上了牛仔服。连长发都懒得梳就走下楼，穿上了靴子。

走到院子里，她想起了本。昨天的晚餐挺有趣的。他和卢谈起了卢在曼哈顿的工作，和外公聊起了农场上的生活。艾米甚至设法从他嘴里套出了他还没有和任何人约会过，她知道这个消息会让苏拉娅高兴死。

她给水桶加满水，开始拌饲料，这时候泰到了。“早上好，”他说着走进了饲料室，“看到本了没有？”

艾米正往桶里舀一勺勺浸泡好的甜菜根，她摇着头说，“没呢。”照理说，本应该像泰一样七点钟开始上班，但他还没到。“他也许一会儿就到。”她说。

然而本的卡车直到差不多八点半才出现。听到引擎声，艾米从正在打扫的牲口棚往外望去。

“嗨，两位！”本说着从卡车里跳出来。“今早天气真好，对不对？”他兴奋地说。

艾米本以为他会为自己的姗姗来迟忙不迭地道歉。“是的，我想是。”她淡淡地回答道。

本似乎感觉到了她的冷淡。“嘿，抱歉我迟到了一会儿，”他说，“你不会介意的，是吧？我睡过了一点。”

“没关系。”艾米说，强压下心中的抗议，一个半小时不止是迟到一会儿吧？

“那行，”本说，“你想让我做什么？”

“我想我应该先带你去看看东西都放在什么地方，”艾米说，“然后你就可以帮我和泰了。我们打扫完牲口棚后，还要打扫院子，给马梳洗和锻炼，一直要干到中午。

来吧，我先给你介绍一下这里的马。”

“稍等片刻，”本说，“我先去和瑞得打声招呼。”

本朝那匹高大的栗色马走去，他拍了拍它，悄声对它说着什么，艾米耐心等待着。艾米看到这匹马蹭着他的肩膀。很显然，它深爱自己的主人。

过了几分钟，本回来了，艾米开始带他参观牲口棚。“这是杰克，”她说，抚摸着瑞得隔壁马厩里一匹枣红色的健壮驮马，“它二十一岁。”杰克亲昵地蹭着艾米的手，艾米懂得它的暗示，从口袋里掏出一袋薄荷糖。“它是妈妈在马市上救回来的，”艾米解释道，“它有很严重的关节炎，没人愿意要它。”

“你这里有多少匹马？”本问道。

“有七匹代养马和十匹援救马，”艾米说，“其中八匹有望恢复，可以给它们重新安家。两匹要在这里永久居住——杰克和我的小马驹桑旦斯。”她吻了吻杰克的鼻子，“每当有马离开，和它们道别都很难，我们的感情太深了。”她瞟了本一眼，想看看他是否懂得她的意思，但他已经朝隔壁马厩走去了。

“那是吉普赛女王。”她跟在他身后，“它被送到这里来治疗弓背跃起的毛病。”她正打算把更多吉普赛的历史讲给他听，但本再次往前走去。

艾米给他讲解他们在赫特兰德马场使用的不同治疗方法时，本同样没有什么兴趣。她给他看药柜，里面装满了她妈妈的书、草药、精油和巴赫花精。

“所有这些有什么意义？”本最终说，“我的意思是，为什么不相信兽医？”

“我们相信兽医，”艾米说，“妈妈只是认为我们可以用自然疗法来补充传统药物，配合我们的兽医斯科特，和你的观点差不多。”她看到本脸上怀疑的神色，“我们的方法的确起了作用，这你是知道的。别忘了，没有人能救诺言的时候是我们治好了它。”

“我想是吧。”本说，但看起来依然不太相信。他朝门走去。“你说牲口棚需要打扫。要不我们开始吧？泰看起来像是需要人帮忙。”

艾米点了点头，本大步走开了。

艾米凝视着他的背影，感到很迷惑。丽莎花钱送本来赫特兰德马场，但他似乎对他们的工作一点儿都不感兴趣，事实上，他似乎根本就不相信他们的方法有效。

午餐时，本拿来了自己的梳洗工具和马具。“你不吃点东西吗？”艾米问道。

“我先去骑马。”本回答道，朝瑞得马厩的方向走去。

“那你现在对他有什么看法？”他们朝厨房走去时艾米问泰。

“我只知道他迟到一个半小时，花了两个小时打扫四间马厩，对我们这里的工作没有一丁点儿兴趣。”泰干巴巴地回答道。

艾米微笑道，“是的，除了这些，你还有什么想法？”

泰耸了耸肩。“我不知道，过一个星期左右再问我吧。”

艾米做了个三明治，她朝窗外望去，看到本正牵着瑞得沿着跑道往训练场走去。“我们要不要去看他骑马？”她问道。

泰点了点头，两人端着午餐，朝训练场走去。

本正骑着瑞得八字形慢跑着。这匹栗色马动作轻快流畅，在跑场中央来了个完美的飞转。艾米看到本抚摸着瑞得的脖子，他们继续慢跑，本嘴唇嚅动，是在表扬瑞得，他坐在马鞍里，后背笔挺，双手始终和这匹马的嘴保持着轻柔的、稳定的接触。

“他不错。”她低声对泰说。

本似乎完全没意识到他们的存在，他让瑞得朝跑场中央跑去，那里有个四英尺高的障碍。瑞得几乎是直奔那里，轻松地跨了过去，仿佛那个障碍只有原来的一半高。在站在大门边观看的艾米和泰眼里，毫无疑问，马和骑手亲密无间。

本骑着马从他们身边慢跑过去，似乎这才注意到他们。很轻松地，他让瑞得放慢速度开始步行。“嗨，”他喊道，骑着瑞得朝他们走来。

“嗨。”泰应道。

“你跳得很不错。”艾米说。

本微笑道，“谢谢。”他拍了拍瑞得，“我想带它去小路上跑跑。你们两位有没有人想一起来？我想熟悉一下这里的路况。”

“我想去，我骑桑旦斯去。”艾米说，她望着泰，“你呢？你也来吗？”

“我还是不去了。”泰说，“独奏、查理和穆奇需要在训练场锻炼，梳洗工作连一半都没有干完呢。”

“你说得对。”艾米很是愧疚，“也许我也应该留下来。”

“不必了，没关系，你去吧，”泰说，“本需要四处看看，桑旦斯也需要锻炼。”

“太好了，就这么定了。”本看着艾米说，“我骑瑞得走走，让它冷静一下，你去准备。”

“你真不介意？”本骑着瑞得走开后艾米问泰。

“没关系，”泰回答道，“你只管去享受美好时光吧。”他逗笑道，“别担心我。我会像往常一样留下来干完所有的活儿。”

“说的是，”艾米咧嘴笑道，“反正我在这里什么都没干。”

“这可是你自己说的。”泰说，他看着艾米一拳挥过来，赶紧躲开了。

艾米走到小马驹的户外牧场去牵桑旦斯，她又感到一阵歉疚。现在他们这里有许多匹代养马，泰比以前更辛苦了，从来没有休假，经常忙到深夜。噢，好吧，当她走到围场大门时她想，现在有了本帮忙，泰的负担将会极大减轻——应该说是自己和泰的负担。

她只花了五分钟刷了一下桑旦斯的皮毛，套好马具，就翻身上马，往训练场走去。“我准备好了。”

“太好了，”本说，“我们出发。”

他们骑出院子朝赫特兰德马场后面茂密的山林——柚木山走去。他们走到原野尽头，小路延伸进树林的地方，

艾米喝令桑旦斯停下了。“我喜欢这里的风景。”她说，看着赫特兰德马场在他们脚下延伸，牲口棚和围场沐浴在十月明晃晃的阳光里。

“这上面的确很美。”本说着四下张望。

“你姨妈的牲口棚也很大。”艾米说，“在那里长大肯定很棒。”

“是啊。”本说，干巴巴轻笑了一声，一点都不开心，“我想是的。”

艾米瞟了他一眼。

本收起马缰。“那我们还等什么？”他说着敦促瑞得小跑起来。“我想你是要带我四处看看的。”

艾米骑着桑旦斯小跑着跟在后面。一缕阳光从树冠渗下来，在阴凉的小路上洒下斑驳碎影。“这条路通往克拉克代尔山。”艾米说，他们一路往前骑，艾米指路给本看。“我们要走的是前方左边那条路，通往下面的小溪。”

他们走到昨天桑旦斯跳过的那棵倒下的树干前。看到树干，这匹鹿皮马开始兴奋地慢跑起来。

“我也可以跳过去。”本说，“安全吗？”

“嗯，没事的。”艾米说，她拉住了桑旦斯，让本先来，看着他骑着瑞得慢慢跑向那根树干。他一走近，这匹年轻的马就停了下来，开始侦查起这道不熟悉的“障碍”。

本一鞭子抽到瑞得的脖子上，艾米屏住了呼吸。这匹栗色马闷哼了一声往后退，头高高昂起。本双腿在马腹两侧猛地一夹，让它再次转向那根树干。艾米看到这匹马惊恐地竖起了耳朵，肌肉绷紧，畏惧不前。

“前进！”本气愤地喊道。

“本！你吓到它了！”看到这匹栗色马往前冲去，艾米喊道。

“它必须学习。”本回喊道。

艾米骑马慢跑过来。“别让它受惊吓。如果你愿意的话，我可以先骑桑旦斯做示范。”

本不理她，他迫使着瑞得前进。这匹马朝树干冲去。

艾米看到本挥舞着鞭子抽打马的肩膀，瑞得高高跳起。当他们落在另一边时，本拍着瑞得的肩膀表扬它。“小伙子，好样的！”他得意洋洋地转向艾米，“看到了没有？它必须学习。”

但它需要以这种方式来学习吗？艾米看着这匹栗色马脖颈处流出的汗水，心里想道。然而，她把话吞回到了肚子里。现在看着本轻拍瑞得，她知道本不想残忍地对它。他使用的方法显然和她的不同，很不幸，他使用的是那种大部分驯马师使用的强硬方法。艾米不明白，既然通过合作和理解能达到目的，为什么要采取暴力的训练方式？

“要想让一匹马服从你还可以用其他方法。”她对本说，咂了咂舌头，她骑着桑旦斯小跑着转了个圈。

“你不是真的想跳过去吧？”本吃惊地喊道，“那对它来说是不是太高了点？”

艾米不理他，拉着桑旦斯转向，朝树干跑去。它的耳朵竖起，自信地拉长了步子，一个流畅的跳跃，他们跃过去了。

“太棒了！”本惊讶地喊道，“它还是一匹小马驹呢，它真能跳！”

艾米骑马小跑过去，点着头说：“迄今为止，它已经赢过三次大马驹猎手赛冠军。但我没什么机会带它参赛，我想带它去试试初级障碍赛。”

“你应该去，”本说，“它能跳这么高，肯定大有作为。”

艾米拍了拍桑旦斯，对本的赞许很高兴。“它差点儿就成了餐桌上的食物，是我们救下它的，”她说，“它脾气暴躁，没有人能制服得了它。现在却有许多人想要买它，但我是绝不会让它走的。”

“我懂你的感受。”本说，他抚摸着瑞得的肩膀。“我也不会卖掉瑞得，无论开价多少都不卖。”

看到瑞得转身蹭着本的手，艾米原谅了他刚才的举动。很显然，他深爱着瑞得，而这匹马也深爱自己的主人。

他们继续沿着小路前进。

本拍了拍瑞得。“下个月我要带它参加一场表演赛，我想带它去参加几场比赛，让它在冬天保持状态，然后明年夏天去参加正式比赛。”他看着艾米，“我们可以一起去参加表演赛，我的拖车装得下三匹马，你也能带桑旦斯去参赛。”

艾米有些受宠若惊，但她摇了摇头。“谢谢，但我不能离开赫特兰德马场那么长时间。”

“太可惜了，”本说，“你的表现绝对出色。”

艾米耸了耸肩。“比起比赛，赫特兰德马场对我来说更重要。”

“对我来说没有什么比比赛更重要。”本说，他的声音听起来突然充满决心。收紧缰绳，他身子往前倾，“来吧，我们跑到路的拐弯处！”

第三章

当艾米和本回到赫特兰德马场时，泰正在拉穆奇。“我们要开始给马梳洗了。”艾米说。

“当然，”本回答道，“我一收拾好瑞得就来。”

艾米以为本的意思是他只需给瑞得快速刷洗一番，结果过了差不多一个小时他才出现。“好吧，你想让我从哪里开始？”他问道。

艾米刚梳洗完茉莉，只剩下三匹马要刷洗了。“你能梳洗下杰克和萨加富吗？”她有点儿生气他去了那么久。

本高兴地点了点头，去拿梳洗工具去了。他回来时，艾米正要走进舞蹈家的马厩。“那是舞蹈家？”本问。

艾米点了点头。

本走过去拍舞蹈家的脖子，但他动作太快了，这匹母马的反应像闪电。它猛地甩起头，冲本的手臂咬去。

“嘿！”本喊道，掌掴它的肩膀。

“本！不！”艾米恐惧地喊道，抓起他的手臂。

太迟了，舞蹈家恐惧地弓起了背。

“出去！”艾米拉起本的手臂。

她把本拖出马厩，刚来得及关上门就听到舞蹈家的马蹄砸在后墙上。艾米几乎气疯了，她转向本，“你怎么能这么蠢！”她喊道，“舞蹈家本来就很怕人！”

本瞪着她，“但它想咬我！”

“那又怎么样？我们这里是不打马的。”

“你的意思是就让它们咬？”本喊道，“这简直是疯了！如果它们做了这样的事都得不到惩罚，那它们怎么能学会尊重你？”

艾米双眼喷火。“你不必为了得到尊重而打马，尤其是像舞蹈家这样曾经遭受过虐待的马。”

“那你怎么做？”本说。

“用应有的尊重来对待它们，理解它们，让它们意识到没什么可害怕的。你看到舞蹈家头上的伤疤了吗？”艾米质问道，“那些是马笼头在头上套得太紧，在皮肤上磨出了伤疤。马笼头这么勒着它勒了一年多，你那样把手抬到它头边，它当然想咬你了。如果你是它，你会怎么做？”

本看起来有点儿惭愧。“我没有意识到。”他看着这匹母马，现在它正站在马厩里瑟瑟发抖。“嘿，如果我惹恼了它，对不起。”

艾米深吸了一口气，竭力控制自己的怒火。“听我说，你一定要记住，我们这里从来不打马。它们都受到过某种程度的伤害，我们需要重新赢得它们的信任，而不是进一步吓它们。”

本艰难地吞咽着口水。“好的，我明白了。”他再次看着舞蹈家，“你有什么办法能让它平静下来吗？”

“我去看看。”艾米说。她把马笼头放在地上，轻轻走进马厩里。舞蹈家戒备地盯着她。

“没事了，丫头。”艾米柔声对它说，在口袋里找那袋薄荷糖，递给它一片，“我不会伤害你的。”

舞蹈家盯着艾米看了片刻，小心翼翼地走上前，伸长了脖子，棕白色相间的鼻孔大口地呼吸着。艾米等着这匹母马舔起她手上的薄荷糖，悄声走过去站在它肩膀旁边。舞蹈家在麦秸里不安地动来动去。艾米依然好言抚慰这匹受惊的马儿，声音异常轻柔，她将手轻轻放在舞蹈家的肩膀上，开始用手打一个个小圈圈，随着手指的按摩不断地挪动地方。

她忘记了本正在门口看，全部注意力都在这匹母马身上。时间分分秒秒地过去，她感到马的肌肉略有放松，艾米放慢了打圈的速度，慢慢把手指移到舞蹈家的脖子上，朝它的脑袋挪去。每当这匹母马肌肉收紧时，她就放轻手上的力道，慢慢地，舞蹈家越来越放松，到最后，它甚至让艾米在鼻口、鼻孔和唇上打小小的圈。

在艾米的手下，这匹母马开始打哈欠，慢慢低下了脑袋，双眼半闭。最后，艾米停了下来，悄悄朝门走去，她拿起马笼头，从舞蹈家的鼻子上套下去。

舞蹈家甚至都没有畏缩。艾米扣紧了马笼头，牵着这匹现在已经平静下来的母马朝前排马厩走去。

“这太神奇了，”本吃惊地说，“给它按摩两下它就平静下来了？”

“这其实不光是按摩，”艾米解释道，“这是一种名叫T字形按摩的疗法。”她把舞蹈家拴好。“你看到了，其实不必施加暴力就能让一匹马听命于你。”

本皱起了眉头。“你得承认对舞蹈家这样的马来说是这样，”他说，“但对一匹正常的马，好吧，它们需要遵守纪律。看看瑞得，我对它很严格，但你不能说它怕我，它表现得棒极了。”

“不用暴力就能让马同样服从你，那又何必动用暴力呢？”

本耸了耸肩。“我学到的就是这种方法。”他看到她的神情，“瞧，这方法对我很有用。但别担心，我会尊重赫特兰德马场的规定。”他再次拿起梳洗工具，“现在，我要去梳洗那匹设得兰小马驹——萨加富了，你说它名叫萨加富没错吧？”

艾米点了点头，开始刷洗舞蹈家。她有点儿摸不透怎么看待本。他疑虑重重，根本没有做好接受他们观点的准备，但他骑术很好，一眼就能看出他对瑞得很钟爱。她很肯定，以本的天赋才能，假以时日，她和泰一定能说服他改变观念。她拍了拍舞蹈家，心中期盼着能够如此。

五点钟，艾米和泰开始装夜间用的干草兜。他们像往常一样又忙到很晚。“至少所有的马都锻炼过了。”他们把散发着香甜气息的牧草装进网兜时艾米说。

“是啊，我们三个很快就能清理完剩下的马具。”泰说，“当然，前提是，我们得埋头苦干才行。”

就在这时，有脚步声传来。本从门上望进来，“嗯，那我走了。”

艾米睁大眼睛望着他，“走？马还没有喂呢。”

“但我只工作到五点。”本吃惊地说。

艾米哑口无言。他这话当然没错。但照顾马不是一份普通的工作，你不能因为时间到了就要下班。

“我通常都待到事情做完为止。”泰尖锐地说。

“太好了，”本开心地说，“如果你能留下来，那我可以走了吗？”

“嗯，实际上，本，如果你能待到喂完马，那将会帮我们一个大忙。”艾米飞快地说，她看出本没有领会泰的意思。

本看起来颇为吃惊，“那好吧。”

“行，”艾米说，为自己要开口让他留下来感到尴尬。“这样好了，如果你愿意拌饲料，我们就继续把网兜装完。”

本照她说的做了。他们听到桶重重放到地上的乒乓声，艾米和泰交换着眼神。他们继续默不作声地装干草兜。

马终于喂完了，“那再见了。”本说。

艾米点了点头，其实她想说马具还需要清理，但她说不出口。

她目送本开车离去。“好吧，”她对泰说，“对他这种行为你有什么看法？”

“我想他习惯了在他姨妈的牲口棚干活，那里人手够，严格遵守上下班时间。”泰说。

艾米想起丽莎·斯蒂尔曼一尘不染的种马场，还有如军队般的马厩伙计，点了点头。“这对他来说肯定是个巨大的改变，他过去也许连打扫这类的事情都不必干。”

泰看着她，“你认为他能适应这里吗，艾米？”

艾米想起那天下午早些时候自己的疑虑。“我肯定他能，”她说，竭力表现得积极肯定，“他只是需要时间来适应。”

泰沉默了一会儿，但接着他点了点头。“好吧，那我们只能等着瞧了。”

55

第二天早上本直到艾米回房间里去换衣服上学时才赶到。她没时间去想他迟到的事。上学的早上总是异常忙碌，像往常一样，她什么都没准备。她只用了两分钟冲澡，穿上干净衣服后便匆匆下楼去了。

“你早餐还没吃呢，艾米！”她抓起运动鞋时外公着急地喊道。

“没时间了！”艾米说，“我快赶不上校车了！”她一把将书包甩上肩头。

“但艾米，你不能空着肚子上学。”杰克·巴特利特说。

“为什么每天早上都是这样？”卢在厨房餐桌旁说道，“真不明白，让你的生活变得有条理一些有那么难吗，艾米？”

“给，把这个带去。”外公说着把一块松饼塞进艾米手里。

“谢谢，外公！”艾米说，给了他一个吻。“稍后见。再见，卢！”

说完她就跑出了房子。

泰正站在水龙头边给一只水桶加水。“过得开心。”他喊道。

“怎么可能呢？”艾米说，顿了顿，“我早上第一节课就上数学。”

泰咧嘴笑了，“那也比我强。”

“稍后见！”艾米说着沿着车道跑走了。

她刚走到车站校车就到了。苏拉娅在身旁给她留了个座位。“快，把本的情况统统告诉我。”艾米一坐下她就迫不及待地说。

“好吧，他不太守时，”艾米说，“到这里来后，他连续两个早上都迟到。”

“是啊，你从来不迟到。”苏拉娅看着艾米红扑扑的脸和乱蓬蓬的头发，咧嘴笑道。

艾米咧嘴回她一笑。“好吧，好吧。”

“你有没有查到他有没有女朋友？”苏拉娅问道。

“搞清楚了，”艾米说，“他没有。”

“这才是最有趣的，”苏拉娅慢条斯理地说，“那他在赫特兰德马场适应得怎么样？”

就在艾米把本的情况竹筒倒豆子一五一十讲给苏拉娅听的时候，她注意到过道对面座位上的一个女孩一直在朝她看。“那是谁？”女孩挪开眼神时，艾米问苏拉娅。

“我不知道，”苏拉娅回答道，“也许是新来的。”

女孩的眼光再次朝她们瞥来。

“嗨，”苏拉娅打了声招呼，用她惯常的友好冲她微笑。

女孩的脸刷地红了。“噢……嗨。”她紧张地说。

“你刚到这里？”苏拉娅探身向前问道。

女孩点了点头。“是的。我叫克莱尔·惠特莉。”

“我们之前是不是没见过你，”苏拉娅问，“你从哪里来的？”

“费城，”女孩答道，“我们是因为妈妈的工作才到这里来的。”

“好吧，我叫苏拉娅·马丁，她是艾米·弗莱明。”

苏拉娅说，“如果你想了解学校的情况，问我们就好了。”

艾米点了点头。

“谢谢，”克莱尔说。她脸上的红晕又加深了一点。“实际上，我刚才忍不住偷听了你们的对话，”她说着眼睛看着艾米，“你是不是……是不是住在赫特兰德马场？”

“是的。”艾米答道，心里有些吃惊。

克莱尔那双碧蓝的眼睛睁大了。“我在一期《马生活》上看到过赫特兰德马场的报道，看上去很神奇。我只知道它在弗吉尼亚东北的某个地方，但我不知道确切的方位。”

“你会骑马吗？”艾米问她。

“会。”克莱尔羞涩地说，“我爸爸刚给我买了一匹马。他和我妈妈离婚了，他刚离开去欧洲工作几个月。我的马是一匹纯种马，叫火石。”

“太酷了！”苏拉娅说。

克莱尔点了点头。“我一直都想有一匹自己的马，因为我不能经常见到爸爸，他说要给我买一匹。火石很聪明，价值不菲，但它赢得了不少奖项，也值这么多钱。”

克莱尔滔滔不绝地说着火石，眼神中闪耀着异样的光彩。她说的话虽然有点儿吹嘘，但艾米原谅了她，显然她很爱自己的马。

克莱尔看着她，吞了吞口水。“你愿意……你愿意来看看它吗？”她犹豫地问道，“你也是，苏拉娅。今天放学怎么样？但不要勉强……我的意思是，如果你很忙或什么的。”她赶紧补充道。

“我想去看它。”艾米说。

“我也是。”苏拉娅说。

“真的吗？”克莱尔看上去有些难以置信。

艾米点了点头。“它在哪里？”

“绿石南。”克莱尔急切地答道，“你知道这个地方吗？”

艾米和苏拉娅的眼神相会了。她们太知道了。绿石南是一个大型猎马和赛马牲口棚，专门培养能在比赛中获奖的大小驯养马。马场主人是瓦尔·格兰特。她女儿艾什莉和艾米、苏拉娅同班，无论什么时候艾米带桑旦斯参加表演赛，她都是艾米最强劲的对手。

“我们当然知道啦。”苏拉娅干巴巴地答道。

“太好了，”克莱尔说，没注意到两人之间交换的眼神，“那你们放学后愿意来吗？”

“我要先回家一趟，看看家里一切是不是都好。”艾米说，“要不我们到时候在那里会合吧？”她不太想去绿石南，但又不好拒绝克莱尔，也许去看看火石会很有趣。

“好的，”克莱尔说，两眼放光，“这太好了。”

那天上学的时间似乎过得特别漫长。艾米满脑子想的都是家里的本和泰相处得怎么样，还有要去看克莱尔的马的事。苏拉娅在午餐时间给妈妈打了个电话，马丁夫人同意开车送她们去绿石南。

“那待会儿见。”艾米下车时对苏拉娅和克莱尔说。

“好的，再见。”她们答道。

艾米沿着赫特兰德马场蜿蜒的车道匆匆走去。她走到头时，看到泰正从马具室走出来。“嗨，”她边打招呼边朝他走去，“今天怎么样？”

“忙死了，”泰说，“但大部分的马都锻炼过了，只剩下常青藤和独奏。”

“我来给它们锻炼。”艾米提出，“但我先去一趟绿石南你不介意吧？”

“绿石南？”泰反问道，“你要去那里干什么？”

艾米跟他讲了讲火石。“我想去见它，苏拉娅的妈妈说她会开车送我们去，不会很久的。”

“好的，”泰说，“等本训练完瑞得，我去叫他帮我打扫一下院子。”

“他在骑瑞得？”艾米颇为吃惊，院子里有活儿要干，本居然骑自己的马去了。

泰点了点头。“是的，他今天早上也骑了一个小时。”他面露忧色，“你不觉得一天骑两次对一匹小马来说太辛苦了吗？”

“本的确跟我说过他下个月要去参加一场表演赛，”艾米说，“很多赛马一天都要进行两次训练的。”

“是的，但它们通常不会两次都要跳一个小时。”泰说，“如果他是在训练场骑一次，在外面小路上骑一次，我倒能理解，但本两次都是在训练场。”

艾米皱起了眉头。泰说得没错，两场训练，每次一个小时，对任何马来说都是沉重的负担，更别说像瑞得这样的一匹小马了。

“我应该劝劝他的。”泰补充道。

艾米点了点头。“也许我们稍后应该跟他谈谈。”

她走去换衣服去了。她从房子里出来时正巧撞见本牵着瑞得从训练场走回来。“嗨！”本喊道，他看到艾米，拉着瑞得停了下来。“它今天表现得很棒。”

艾米不知道该说什么好。她想与他谈谈一天训练瑞得障碍赛两次的事，问问他为什么不多帮帮泰，却不知道如何开口。情况很棘手，因为请他到这里来工作的是他姨妈。换作其他情况，她肯定会直言不讳，但这次不同。

“好的，”她说，“我……呃，我想泰需要人帮忙打扫院子。”

“没问题，”本说，“我先去让瑞得平静下来。”

“好的，但别太久。”艾米言语犀利地说。

本吃了一惊。

就在这时，马丁夫人的车沿着车道开上来了，艾米意识到谈话得往后推了。

“嗨，本。”苏拉娅下了车，热情地打了声招呼。

本冲她微笑。“嗨。”

看到苏拉娅像是要和本聊聊的样子，艾米一把抓住她的胳膊。她们不能让克莱尔久等。“你好，马丁夫人。”她边说边把苏拉娅推进车后座。

“嗨，艾米。”马丁夫人答道，调转了车头。

“你看到本冲我笑的样子了吗？”苏拉娅如在梦中，“他真是太帅了。”

“苏拉娅·马丁！”听了她的话，她妈妈厉声喝道，

“我以为你喜欢来赫特兰德马场是因为那些马。”

“本来就是！”苏拉娅反驳道。

但接着她斜睨了艾米一眼，咧嘴笑了，她妈妈看不到她的神情。

艾米也对她报之一笑，但心里依然为不得不处理的状况烦恼。

克莱尔正在绿石南漂亮的停车场等她们。“火石的马厩在那边的那个牲口棚里。”她说，带着艾米和苏拉娅穿过一尘不染的院子，朝一个宽敞的现代化牲口棚走去。

她们经过一个大型全季候的训练场，在那里，三匹骏马正在接受训练，要跳过一道障碍。场子中央站着瓦尔·格兰特，她绷得紧紧的褐红色马裤后面挂着个手机，正高声对骑手喊着指令。艾米匆匆走过去，不想被她发现。如果她不必和瓦尔·格兰特或她女儿艾什莉讲话，看过火石就离开，那就更好了。

艾米突然听到一阵咔嚓声，她还听到瓦尔·格兰特那尖利刺耳的声音在大喊大叫，不禁畏缩了一下。“你以为那棍子是干什么用的，伊温妮？用它！”

艾米和苏拉娅交换着眼神，她们匆匆走进了牲口棚。

“就是它，”克莱尔说，“就在那里，沿左边往前走第五间马厩，那匹暗灰色的。”

艾米沿着那排马厩望去，一匹漂亮的铁灰色纯种马正在半截门上张望。它竖着优雅的耳朵，棕色的大眼睛若有所思。

“很俊，”艾米说着走了过去，“嗨，小伙子。”

火石相当冷漠地看着她。

艾米从马厩门上看过去。它是一匹非常漂亮的马，干净健壮的腿，高贵的脑袋，极具运动天赋。

苏拉娅和克莱尔也走上前去。“它很养眼，对不对？”克莱尔说，满心期待着她们能够认同。

“的确。”苏拉娅说。

艾米也点点头表示赞同。“你打算骑它吗？”她问道。

克莱尔突然犹豫起来。“嗯……好吧……我不知道。”

“噢，你得骑骑！”苏拉娅说。

“好吧，”克莱尔慢吞吞地答应了，“我去拿它的马具。”

几分钟后，克莱尔拿着火石的马鞍和马笼头回来了。她手指摸索着门闩，走了进去。她朝火石走近时，它把脑袋往空中一甩。

“冷静，小伙子。”克莱尔说，声音听起来很紧张。

火石斜踏一步，离开了她，朝马厩后面走去，臀部对准克莱尔。它耳朵后贴，抬起一条后蹄，在地上重重地跺。克莱尔赶紧往后闪。

“它一直都是这个样子吗？”苏拉娅问道。

“不总是，但大部分时间是这样。”克莱尔说，似乎很感激能趁着这个借口退回到门边。“它刚开始表现挺好的，但慢慢越来越坏。有时候我要花二十分钟才能给它戴上马具。”

艾米吃惊地瞪着她。“二十分钟！”

“它不停地像那样抬后腿，”克莱尔脸红了，“我拿它没办法。”

艾米皱起眉头。她看到火石站在角落里观察克莱尔的样子，它耳朵竖起，眼神明亮，看起来并不邪恶。实际上，她强烈感觉到它只是在欺负克莱尔缺乏经验。“听我说，你想让我试试吗？”她说。

克莱尔感激地把马笼头递过去。

艾米不理会火石从地板上抬起的后蹄，朝它的脑袋走去，抓起它的马鬃不让它扭头，灵活地把缰绳套在它头上。“可逮住你了！”她说，抓住它的鼻子，把马笼头从它耳朵上套上去。火石看着她坚决的神情，没有拒绝。

“我想你要对它狠点，”她对克莱尔说，“它只是在使坏。”

她给火石套好马具，把它牵到外面，把缰绳交给克莱尔。

克莱尔望着主训练场。瓦尔·格兰特还在训练那三个骑手。“我们带它去后面的训练场吧。”她飞快地说。

艾米和苏拉娅跟着她绕到牲口棚后面一个小一点儿的训练场。克莱尔牵着火石从大门走过，翻身上马。

她一坐到马鞍上，火石就开始左右跨步。“别动，”克莱尔说，她抓住马缰，勉强对艾米和苏拉娅笑了笑，“我去骑它小跑一会儿。”她说。

她一骑着马离开，苏拉娅就转向艾米，“她似乎不怎么自信。”她说。

“我看出来了。”艾米低声说。火石绕着训练场疾走，尽管克莱尔在马鞍上的姿势基本上不错，但她身体紧张僵硬。“它很难控制。”

她们在一旁观看时，火石开始平静下来，克莱尔似乎也放松了。但她没有骑它慢跑。

过了一会儿，她骑着火石来到大门边。“它很棒，对不对？”她自豪地说。

“是的。”艾米赞同道。

“但它似乎太活跃了一点。”苏拉娅说。

“那匹马不过是需要个会骑马的主人。”一个声音在她们身后响起。

艾米转身一看，艾什莉·格兰特站在那里，搡着双臂，淡黄色的头发披散在肩头。

“我告诉过你，火石对像你这样的新手来说完全不合适。”艾什莉对克莱尔说。她耸了耸肩，“但如果你愿意，我会抽出时间来骑骑它。”

“谢谢，但我想现在要把它送回去了。”克莱尔飞快地说。她匆匆下马，“它已经训练够了。”

艾什莉哈哈大笑着转向艾米。“那么赫特……赫特兰德马场的生意怎么样？”她问，当她提起赫特兰德马场的名字时，嘲弄地扬起了眉毛。

“异常忙碌，”艾米冷冰冰地说，走过去为克莱尔打开大门。“我们所有的牲口棚都爆满，我们也来了一位新的马厩伙计。”

艾什莉面露惊色。“那泰怎么了？”

“泰也在。”克莱尔牵着火石走出训练场时艾米答道。

艾什莉抱着双臂。“你绝不能留下泰的，这你是知道的。他很优秀，甚至我妈妈都这么说。他会去别的地方。”

“他当然能，但他不想去。”艾米说。

“如果我是你，我就不会那么笃定。”艾什莉说，“他知道我们刚开始寻找一名新的领班马夫吗？他也许想申请。”

艾米难以置信地哈哈大笑。“别做梦了，艾什莉。泰绝不会想到这样一个地方工作的。”

艾什莉环视着一尘不染的院子。“噢，泰真不愿到一个有三个训练场，一条越野跑道，三个牲口棚，高效员工和优良马匹的马场里工作？不，他当然愿意，艾米，”她嘲弄地说，“在这里工作是每一个马厩伙计的梦想。尤其是泰还在一个破败的院子里工作，那里只有一个牲口棚，两个小训练场和一群无人想要的马。”

艾米希望自己能说点什么聪明的话反诘她，但艾什莉的话不无道理。“泰不会来这里的！”她说，绝望地想让自己相信。

“妈妈愿意付大笔钱雇他那样的人才。”艾什莉说，“也许我会让妈妈给他打个电话。”她随意补了一句。

“你爱怎么着就怎么着！”艾米喊道，她怒气冲冲，“但泰是绝不会离开赫特兰德马场的！”

艾什莉唇角上扬，勾出一个令人恼火的微笑。“真的吗？”她说，绿色的眼睛逼视着艾米，“好吧，我们就等着瞧好了。”

第四章

半个小时后，马丁夫人把艾米送回到了赫特兰德马场。此时，艾米依然对艾什莉怒不可遏。她确信泰不会离开赫特兰德马场。但瓦尔·格兰特会出多少钱？无论那个价位是多少，艾米都知道那是卢无论如何也支付不起的。还有摆在他面前的机会呢？绿石南是赫特兰德马场的四倍大。

她竭力赶走自己的疑虑。她真是太可笑了。泰热爱赫特兰德马场。她了解他，不该去怀疑他真会考虑离开。

她穿过院子时看到本正从瑞得的马厩走出来。“嗨，”

他打了声招呼。

艾米想起她一直打算跟他谈谈，于是走了过去，但她不知道该从何说起。“它状态很好。”她说，拍了拍瑞得结实的脖子。

本点了点头。“是的，我一天训练它两次。”

“对一匹小马来说这是不是太多了点？”艾米说，试着把谈话转移到她想谈的话题上。

本摇了摇头。“如果我想让它成为顶级赛马，它就需要一直接受训练。”

“是的，但你不必一天训练它两次，”艾米说，“泰说你今天在训练场训练了它两次。他有点儿担心。”

“他知道什么？”本说，看起来很生气，“他甚至都不骑马参赛。”

“他懂得很多！”艾米说，极力维护泰，“而且他之所以提起这个是因为他担心瑞得。”

“好吧，我不需要他担心我的马！”本说，“什么对瑞得来说是最好的得由我来决定。”他看着她，“你应该遵循训练一匹顶级赛马的要求，艾米。你以前应该看过你爸爸妈妈是怎么做的。”

艾米不想在本才来的第二天就和他吵架。“我想是的。”她说，不情愿地让了步。也许他在菲尔德种马场也这么做过，而丽莎·斯蒂尔曼认为这么训练一匹赛马是合情合理的。

这时电话铃响了。“我去接！”泰说，从马具室里走出来。

五分钟后，他走回到院子里。艾米正在给杰克的水桶加水。“是谁打来的？”她喊道。

泰朝她走过来，乌黑的眼眸流露出好笑的神色。“你绝对猜不到。”

“我的确不知道。”艾米说着摇了摇头。

“是瓦尔·格兰特，”泰说，“她刚给我提供了绿石南的一个职位。”他咧开嘴，脸上露出灿烂的笑容。

艾米惊住了。“瓦尔·格兰特！”

看到她的反应，泰忍不住爆笑出声。“就好像我已经答应了她似的！她说如果我过去，她会让我当领班，给我两倍的工钱。你知道这条件的确优厚，”他说，装出很严肃的样子，“也许我真应该好好考虑下。”

“泰！”艾米喊道，她心头的一块大石头终于落下，因为她意识到他并没把这份工作当回事，但是他哪怕有一点儿动心都会让她担心。

“我的意思是说我将有机会见到许多不同的马，能旅行，给自己弄个名头……”泰打趣道。

“最好的是，你可以和瓦尔·格兰特一起共事！”艾米插嘴道。

“你说对了，”泰扮了个鬼脸，“再多钱都不值得！”

那天晚上，当一家人坐下来吃晚餐时，卢问本适应得怎么样。

艾米不知道如何回答。

“没什么问题吧，艾米？”外公看出她的迟疑，问道。

“没……没有，他挺好的。”艾米说，伸手去拿水壶。

杰克·巴特利特皱起了眉头。“真没问题？”艾米能看出外公觉得她在试图隐瞒什么。“艾米，你心里有事，是吗？”

“什么事都没有。”艾米看到外公的眉头扬起来了。“只不过他的想法和我们的略微不同。”她试图解释，“但这不是什么大问题。”

这时，电话铃响了。

“我去接！”艾米说，很高兴有事情能够转移大家的注意力。她跳起来，抓起话筒。“赫特兰德马场——我是艾米·弗莱明。”

“嗨，艾米。我是斯科特。”

听到她们当地兽医熟悉的声音，艾米脸上的笑意荡漾开来，“嗨，斯科特。”

斯科特清了清喉咙。“卢在吗？”他问。

“在，”艾米说着点了点头，“我这就让她来接。”

她把无线电话递给了姐姐。“是斯科特。”她说着咧嘴笑了。

卢的脸刷地红了。“找我的？”

“嗯，”艾米答道，促狭地望着姐姐，“找你的。”

卢接过电话。“嗨，斯科特，”她边说边从餐桌旁走开，背对着艾米。“是的，我很好。你呢？”

艾米坐回去的时候冲外公直乐，把关于本的谈话抛到了九霄云外。“斯科特会邀卢出去约会！”她说。

杰克·巴特利特摇了摇头，但艾米看到他别开眼睛时笑了。尽管外公从来没说过什么，但艾米知道如果斯科特和卢开始约会，他会和她一样开心。

过去几个月，自从卢甩了她的前男友后，她对斯科特越来越友好。但迄今为止，他们之间什么都没有发生。这是斯科特第一次打电话来要跟卢讲话。

艾米满心期待地在椅子里一刻也没消停。她听到卢在说，“我愿意，斯科特！听起来很不错，好的，那到时候见。”

“嗯？”卢放下电话时艾米问道，“他有没有约你出去？”

“有，”卢说着转过身来，掩不住的惊喜，“他约了，我们周六出去。”

“噢，卢！这真是太好了！”艾米喊道，她跳起来，抱紧了姐姐。“你和斯科特简直是天造地设的一对。”

“不过是一次约会而已，艾米。”卢大笑起来，虽然她嘴上这么说，一双碧蓝的眼睛却熠熠生辉。

第二天在校车上，艾米把这个好消息告诉了苏拉娅。“是不是很好？”她说。

“不知道马特知不知道。”苏拉娅说。

马特是她们最好的朋友之一，他是斯科特的弟弟。他一上车她们就把这个好消息告诉了他。

“太好了，”他说着，一脸期待地看着艾米。“我想，如果他们想让人陪着去约会的话，我们就有很多机会见面了。”

“说得就好像他们想让我们去当电灯泡似的。”艾米说。

“我们能去别的地方。”马特说。

“要不换个时间吧。”艾米说。

马特夸张地叹了口气，“再次被拒绝。”

艾米咧嘴冲他笑道，“你能克服过去的。”

马特想约艾米差不多一年了，但不知为什么她就是没办法把他当成男朋友。她发现苏拉娅正在盯着自己。她知道苏拉娅觉肯定觉得她疯了，这么一直拒绝马特。他聪明、帅气，又受欢迎，当男朋友一定不错。

“昨天和你们聊天的那个新来的女孩是谁？”马特瞟了一眼克莱尔坐的地方问道。

“克莱尔·惠特莉。”艾米答道。

“她刚从费城搬到这里，”苏拉娅说，“我们昨天去看了她的马，她的马在绿石南代养。”

“她和艾什莉相处得怎么样？”马特问。

“她似乎有点儿怕她。”艾米说，想起艾什莉和克莱尔说话时她结结巴巴脸红的样子。

“这不能怪她，”马特开玩笑说，“谁见了艾什莉都会怕。”

艾米笑道：“嗯，如果克莱尔要继续把火石留在绿石南，就要学会保护自己。”

“可怜的家伙，”苏拉娅颇为同情地说，“每天在学校见到艾什莉都嫌烦，想想吧，她放学后还要见她。”她朝车前面示意，“我一直在观察她，你瞧，她今天看起来不太高兴。”

艾米朝坐在校车前面的克莱尔望去。她正抱着书包，呆呆地想着什么心事。

他们到学校时，艾米往前走去，赶上正在下车的克莱尔。“嗨，你好吗？”她问。

“很好。”克莱尔飞快答道。就在这时，马特和一群朋友从校车上跳下来，从她们身边经过，其中一个的书包撞到了克莱尔的手臂。“啊！”她惊叫道，抱紧了胳膊。

“怎么了？”艾米问道。

克莱尔咬紧双唇，看起来正拼命忍住眼泪。

“你没事吧？”苏拉娅说着走了过来，瞧见克莱尔抱着自己的胳膊。“出什么事了？”

“是我的胳膊，”克莱尔说。她让到一边，让其他学生过去，然后脱下了外套。她里面穿着一件长袖T恤。她卷起袖子时艾米和苏拉娅都倒抽了一口冷气。她臂上赫然印着淡淡的牙印，周围是一大块淤青。

“发生什么事了？”苏拉娅问道。

克莱尔吞了吞口水，穿上外套。“是火石，”她说，“昨晚你们走后它咬了我一口。”

“你妈妈怎么说？”艾米问。

“我没有告诉她，”克莱尔说，“最糟糕的是她今晚会来看我骑马。要是让她当场看到它咬我，她肯定会卖掉它。”她眼里盈满了泪水，“最初爸爸给我买马她就不太同意。她说我缺乏经验，不能拥有一匹属于自己的马。”

苏拉娅朝艾米看去。“也许艾米能帮你，她对付攻击性的马很有经验。”

“你能吗？”克莱尔问，看着艾米，眼中燃起了希望。

艾米不知道怎么回答才好。“嗯，它住在绿石南，我帮不上什么忙。你看，瓦尔·格兰特是那里的训练师，如果我过去帮你，她肯定会发疯。”她看到克莱尔一脸为难，感觉很不好受。“但我能给你些怎么去对付它的建议。也许今晚我能过去帮你给它套马具，这样你妈妈就不会看出它具有攻击性了。这虽然不能解决问题，但至少能给你多争取一点儿时间。”

克莱尔点了点头。“那拜托你了。如果能不被妈妈发现，我会继续训练它的，你让我做什么我就做什么。它肯定会变好的。”

“好的，就这么说定了。我放学后直接过去。”艾米故作轻松地说，但她心里仍然忧心忡忡。她教克莱尔怎么对付火石是一回事，但克莱尔怎么执行她的指示是另一回事。从艾米对火石的观察来看，很显然，它需要一个有经验的骑手，可不管她说什么也不能把克莱尔变成有经验的骑手啊。

那天放学回到赫特兰德马场，艾米说服了外公开车送她去绿石南。“我一个小时内过去接你。”在绿石南漂亮的白色大门外，他对艾米说。

“好的，谢谢。再见。”艾米答道。她穿过大门时看到克莱尔匆匆朝她走来。“谢天谢地你来了，妈妈二十分钟内就会到。”她喘着粗气走到艾米身前，“我们要在那之前给它梳洗，戴上马具。但我要先给你打预防针，它表现实在糟透了。”

克莱尔已经把梳洗工具拿进了火石的马厩。她打开门时，它甩起头，耳朵后贴。克莱尔犹豫了。

“好小伙儿，”她紧张地说。火石跺脚摇尾。“它昨天就这样。”克莱尔告诉艾米。她小心翼翼地朝这匹马走近了一步。“过来，小伙子。”

火石朝她龇牙咧嘴，克莱尔倒抽了一口凉气，赶紧往后退。

艾米打算控制局面，她从克莱尔身边走过去。“够了！”她对火石厉声喝道。它望着她，头高高昂起，仿佛在用眼神打量她。

艾米从克莱尔手里接过马笼头，飞快地挪到火石的头边，拿着马笼头轻轻拂过它的脑袋，从它鼻子上套了下去。她扣马笼头时它甩起头。“别捣乱，”她说。火石看着她，屈服了。

艾米拍了拍它的脖子，若有所思地看着它的脑袋。她妈妈一直说一匹马的性格特征都写在脸上。火石的鼻子有点儿像麋鹿，大大的眼睛，张开的鼻孔，所有这些特征无不表明它是一匹高智商的马。

艾米看着它狭长的耳朵，这种耳朵经常可以在那些很难驾驭、喜怒无常的马身上找到。非常聪明，但很难驾驭，又捉摸不定，艾米一边抚摸着火石的鼻子一边沉思。这样的马对一个新骑手来说完全不合适。

艾米的妈妈教过她，大部分做出攻击性行为的马都是因为受到过惊吓。然而，艾米更愿意认为火石是个例外。

她强烈地感觉到它攻击克莱尔只是因为它觉得它能侥幸逃脱处罚。被它猜中了，艾米心想。

“我该怎么对付它，艾米？”克莱尔问道。

“你只需要对它狠一点就行了。”艾米说。她看到克莱尔的神情。“我不是说要打它，只是在它调皮捣蛋的时候训斥它，不要紧张。”她开始去给火石绑好马具。“我们该走了。你妈妈很快就要到了。”

克莱尔刚开始试着帮忙梳洗时，火石的尾巴抽打过来，但艾米一句怒喝就制止了它的恶劣行径。“你只要让它明白：你说了算。”她说。

火石终于准备好了。她们给它套上马鞍，把它牵到小训练场。克莱尔一踩进马镫，火石就在原地不停跳跃。“站好。”她想让自己的声音听起来坚定一些，但失败了。她的声音太高。火石横踏一步。克莱尔放弃了让它乖乖站稳的打算，翻身上了马。

火石绕着训练场疾走。转了一圈后克莱尔让它小跑。它不耐烦地拉着嚼口，不停扭动着身体。

突然，火石看到栅栏后面堆着一排跳障。它吓了一大跳，反应粗暴。马儿突如其来的骚动让克莱尔吃了一惊，她的脚从马镫上脱落了，手中的缰绳也抓不住了。感觉到缰绳松脱，火石垂下头，接连三次弓起了背。

“坚持住，克莱尔！”艾米在大门边喊道。

它第一次弓背跃起时，克莱尔坚持住了，但第二次火石猛然低下脑袋，克莱尔另一只马镫也脱落了，只能趴在它背上。第三次火石直接将克莱尔从它肩膀上甩飞出去，她跌落在地上。

“克莱尔！”艾米喊道，她心擂如鼓，飞快跨过大门。

她的声音被身后的一声尖叫给盖过了。“噢，天哪！克莱尔！”

艾米猛地转身。一个头发齐肩的女人正朝大门跑来。

“妈妈！”

艾米回头朝克莱尔望去。她正挣扎着坐起来，望着那个女人，眼里充满了恐惧。

盛大文学
华文天下·弘文载道
无处安放的心灵，交给马语者……
意外来客 from 马背上的女孩

第五章

艾米没有停步。她跑到训练场中央。“你没事吧？”她问着去扶克莱尔。

克莱尔点了点头。“是的，我没事。”她看着自己的妈妈正在打开大门，声音颤抖了。“我现在彻底搞砸了，艾米。我居然让我妈妈亲眼看到我从马上摔了下来！”

“我去拉住火石。”艾米说。

“克莱尔！”惠特莉夫人尖声喊道。

“我没事，妈妈。”克莱尔说着站起身，慢慢朝她走去。

艾米走过去抓住火石。它正在训练场边的一块草地上若无其事地吃草。艾米走过去时它抬起头看着她，皮毛下的肌肉明显绷紧了。

艾米从口袋里拿出一袋薄荷糖，拿起一片递给它。“过来，小伙子。”她平静地说。

她站着一动不动，耐心地等待着。火石又凝视了她一会儿，薄荷糖的诱惑对它来说太强烈了。它终于伸长鼻口，朝她走来。

“好小伙儿。”艾米说着轻轻抓住它的缰绳。

火石一边咀嚼着薄荷糖，一边用那双聪明的黑眼珠打量着她。

艾米摇了摇头。“火石，这样才对。”她拍着它铁灰色的肩膀。火石确实调皮，但她喜欢它。它年轻，充满活力。

她朝大门望去。克莱尔和她妈妈好像在争吵，她的心往下一沉。“是时候去面对喧闹了，”艾米对火石说，她咂了咂舌头，牵着它往前走。

“它必须离开，克莱尔！”她走近时听到惠特莉夫人在说，“它很危险，谁都看得出来。你父亲居然会给你买这样一匹马，他就是个混蛋。”

“它不危险，妈妈！”克莱尔喊道，“它只是很活泼。”

“活泼？它会折断你的脖子！”

“我向你保证，妈妈，它不会！”克莱尔反驳道，转向艾米寻求帮助。“请你告诉我妈妈，艾米。”

“它只是兴致很高。”艾米飞快地说。她看到惠特莉夫人脸上的震惊和关切，她上前一步，伸出了手。“我是艾米·弗莱明。我姐姐和我经营赫特兰德马场，一个为遭受忽略和有问题的马开设的营救中心。”

“我跟你讲过艾米的，妈妈。”克莱尔插嘴道。

惠特莉夫人心不在焉地点了点头。“是的……是的，我记得。很高兴见到你，艾米。”她的视线重新转移到克莱尔身上。“噢，宝贝，”她边说边摇头，“我真不知道该怎么办才好。如果它继续那么弓背跳跃，我实在不能再让你骑它。这样我晚上会睡不着觉的。”

“但是，妈妈……”克莱尔反驳道。

“也许克莱尔可以学学怎么制服它，”艾米插嘴道，“她可以学一些技巧。它真的不危险，惠特莉夫人。克莱尔只需要学会变得更坚定一点。”

“也许吧。”惠特莉夫人叹了口气。她看着火石，“我会去问问瓦尔·格兰特夫人，看看她能不能帮忙。”

“不！”克莱尔打断道，“我不要瓦尔·格兰特，她会叫我打它。我想让艾米帮我。”

“我告诉过你，我不能，它在这里我帮不上什么忙。”艾米说，“瓦尔·格兰特不会容许我这么做的。”

“那么我们就把它送到赫特兰德马场去，”克莱尔说，“行吗，妈妈？”

艾米吃惊地瞪大了眼睛。

“克莱尔！”惠特莉夫人飞快喊道，“你不能这样。”

“为什么不能？”克莱尔说，“我不喜欢这里。艾什莉·格兰特老是欺负人，总是捉弄我。火石和艾米相处得很好，她能教我怎么做。”她转向艾米，“你会帮我的，对不对？”

“但目前我们没有空马厩了。”艾米说。她看到克莱尔的脸瞬间垮了下来。有没有什么可以帮忙的办法？她多么想帮她啊。“我想现在天气还很暖和，”她说，脑子飞转，“我自己的小马驹桑旦斯可以整天待在户外，只待几周它不会有事的，那火石就能用它的马厩了。”

惠特莉夫人看起来像不知道该说什么好。“好吧，你真是太好了……”她开口道。

“同意了吧，妈妈！”克莱尔恳求道，“只要你答应了，我什么都肯做，你就答应了吧，求你了。”

惠特莉夫人无助地耸了耸肩。“那好吧，”她终于妥协了，“如果艾米能帮忙，那我就再给它一次机会，但只给一个月时间。如果它到时候没有好转，它就得离开，克莱尔。”

“它会变好的，”克莱尔说，“我知道它一定会！”

艾米回到赫特兰德马场时，卢和外公正在厨房做账。她把火石的事告诉了他们。“它可以住在桑旦斯的马厩里，”她解释道，“桑旦斯在原野里住一小段时间没什么关系。”

外公点了点头。“它不会有事的，听上去你的朋友需要一些帮助。”

“那匹马什么时候到？”卢问，翻开了马场的日志，好把火石的到达日期写进去。

“惠特莉夫人说她周六会去雇一辆拖车。”艾米说。

“我可以开着我们的拖车去接它，”外公说，“我手头上没有什么别的事。”

“那太好了！”艾米说，“我这就去给克莱尔的妈妈打电话，告诉她一声。”

“你跟泰说了吗？”卢问。

“还没呢。你知道他在哪里吗？”艾米问。

“我想应该在马具室。”卢说。

艾米匆匆朝马具室走去。泰正在清理一个马鞍。她把火石的事告诉了他。“克莱尔的妈妈说会给它一个月时间。如果到时候它没有进步，她就要卖掉它。”

“听起来像是马和主人不怎么相配。”泰说。

艾米点了点头。“是的，但克莱尔非常想留下它，它是匹很棒的马。我们得帮帮她。克莱尔只要能学会对它厉害点，它就会懂得尊重她，也就不会搞恶作剧了。”

“也许要花不止一个月时间。”泰说着把马鞍放回到架子上。

“不，不会的。”艾米乐观地说，“它对我很友好。”

“但你从小就和马打交道，”泰说，“你怎么能把这种经验教授给别人呢？经验是要用时间积累的。”

艾米耸了耸肩，对他的担忧不屑一顾，“会成功的，你就等着瞧好了。”接着她改变了话题，“本去哪儿了？”

“猜猜看。”泰冷冰冰地回答道。

“和瑞得在一起？”艾米说，心为之一沉。

泰点了点头。“他在训练场骑马训练，这是今天的第二次。你知道吗？他今天只在院子里做了两个小时的活儿。我叫他做他就做，我不叫他他就在马具室或者瑞得的马厩里闲逛。我有那时间找他还不如我自己来干。我试着跟他谈过，但没什么效果。”

“你想再跟他谈谈吗？”艾米提议。

泰耸了耸肩。“我们还是让卢去吧，他也许会听她的。”

“让我来先试一试。”艾米说。不知为何，让卢出面显得像是正式投诉，她依然希望本只是需要时间来逐渐适应。

“好吧，”泰说，“祝你好运。”

朝训练场走去时，她琢磨着不知道说什么好。

本正骑着瑞得在训练场慢跑。他在训练场一边立起了一排障碍。艾米走到大门边时他正让瑞得调头走向设置的障碍。

艾米皱起了眉头。瑞得的脖子和肩膀都被汗水濡湿了。看到障碍，瑞得的头高高甩起，朝侧边冲去。本用力拉住瑞得，他们在原地打了个转。

艾米停下来观看。瑞得拼命抵抗本的控制，它看起来很紧张。

本再次逼迫它面向障碍，瑞得再次激动地往前冲。

“听话！”本喊道，猛拉瑞得的嘴。

艾米看到瑞得甩起头，畏缩了一下。

本再次拉紧瑞得打了个转，他夹腿，用力敦促马前进，要求它服从命令，乖乖驯服。艾米知道他在试着拉住瑞得，不让它速度太快朝障碍跑去，但他越是严格，瑞得就越是激动。

艾米忘记了她是来找本谈论工作的。她跑到大门边。“让它休息一下，本！你难道看不出来你让它更紧张了吗？”

本拉住瑞得，让它停住，身子在马鞍里转过来。“你说什么？”他问道。

看得出他动气了，但艾米不管不顾。“这样小圈跑会让它神经紧张！”她喊道。

“它必须学习！”本说，“比赛只剩下三个星期了。”

“它压力这么大是没办法学的，”艾米反驳道，“听我说，把它牵出跑道，让它冷静一下。你明天可以再试。”

本固执地摇着头：“我不会对它屈服的，它现在就得学会。”

瑞得喷了喷鼻息，横踏一步。本再次收紧缰绳，敦促它慢跑。

“本！”艾米喊道，她也发火了。

但本似乎不在意。他骑着瑞得转圈慢跑，无视艾米的反对。艾米无计可施，除非跑到马前面，否则她只能观望。

然而令她欣慰的是，在大门边稍稍休息了一下的瑞得已经略微平静下来了。它不再和本对抗，现在它动作流畅，低着头，下巴也放松了。

本掉转方向，向那排障碍跑去。艾米屏住了呼吸。

“前进，小伙子！”她小声说，瑞得竖着耳朵朝障碍跑去，它心绪平静多了。本让它起跳，它的步子拉长了，三个障碍都跨过去了。

本在训练场尽头处拉住了瑞得。“小伙子，好样的！”他喊道，用力拍了拍它。

他骑着瑞得沿着跑道朝艾米跑来。他眼中固执愤怒的神色已然消失。

“看到了吧！”他得意洋洋地说，“这样更好！现在我要带它去外面小路上走走。你决不能对一匹马屈服的，艾米。”

艾米为本打开大门，本接着说：“当你需要的时候它们必须学会服从你的命令。如果它们学不会，那你永远都没有绝对的控制权。如果你想让它做到最好，就必须这么做。”

说完他骑着瑞得走出了大门，朝林中小道跑去。“待会儿见。”

艾米一时哑口无言，呆呆地看着他远去。尽管他用自己的方法制服了瑞得，但她是无论如何都不会赞同他的做法的。

如果马不想服从你，你就算完全控制住了它又有什么意义呢？当然了，一旦骑手和马之间建立了感情，就能够获得更多成就。即使这意味着偶尔对马妥协，接受马是一个活生生的、能呼吸的动物，像人一样也有需要休息的日子，那也没什么关系。

在艾米看来，你只需要付出一点代价就能让一匹马爱自己的工作，全身心地努力取悦你。

她慢慢穿过院子。本显然像许多赛马骑手一样和她有不同的信仰，但她不必每天看到其他人骑马。看到一匹马在赫特兰德马场接受这样的训练实在让她难受。

“你和他谈了吗？”泰从马具室走出来问道，“他可以把瑞得牵回来开始帮忙了吗？”

艾米突然想起她去训练场是要找本谈工作的事。“我……我还没来得及和他谈，”她承认，“他又把瑞得带出去骑了。”

“什么？”泰喊道，“他整天除了骑马、梳洗瑞得，几乎什么都不干！院子还要打扫，干草兜还没装，还有所有这些马具，”他手指着马具室，“那些什么时候能干得完？”

艾米看到他眼中的挫败。“听我说，别担心，他回来后我会跟他谈的，我保证。”

艾米正在打扫马粪堆周围散落的麦秸时，本骑着瑞得回到了院子里。

看到艾米，本从马上跳了下来。“在卖力干活儿呢？”他说着拍了拍瑞得。

艾米直起身，几乎是怒火中烧。她把湿漉漉黏在额头上的头发往后拂。“好吧，活儿总得有人做。”她简单地答道。

本吃惊地看着她。“你怎么了？”

“本！”艾米爆发了，开始对他发起了脾气。“你到这里来是当马厩伙计的。你不能把时间都花在骑瑞得上，把所有的工作都丢给我和泰！”

“我没有！”本反驳道，“我今天帮过泰。我打扫了六间马厩，中午马也是我喂的。”

“做了很多啊！”艾米抬高了嗓门，“那其他十二间马厩，马具室，还有给马梳洗和锻炼呢？”

“你这是在说我不尽力了？”本说。

“没错！”

“好吧，”他短促地答道，“那我白天不会再骑瑞得了，我下班后再骑总行了吧？”

“好！”艾米喊道，“也许到那时候我们这里才能有所改善。”

“很好。”本转身带着瑞得匆匆穿过院子。

泰从后排牲口棚走出来。“发生了什么事？”他问艾米。

“是本，”艾米说。她看到泰张嘴想问她什么。“别问了。”她叹了口气，“我想我最好去处理好，要不卢得怪我了。”

她穿过院子时不停地告诫自己要冷静，发脾气不会有什么好处。她必须不停地提醒自己：本最初是怎么到赫特兰德马场来的，能有人帮忙他们就该感激不尽了。

看到本从瑞得的马厩走出来，她赶紧走过去。“听我说，本，刚才我不是有意冲你发脾气的，只不过你应该多帮帮忙。”

“明白了，好。”本短促地答道。

艾米吞下了跳到嘴边的恶言恶语。“好啦，本。这么吵架真蠢。”她想起瑞得在训练场的情景。也许本是因为那个才生气的。“我们这里有很多配料能帮瑞得平静下来。蜂蜜不错，还有缬草。如果你愿意，我可以教你怎么用。”

“它不需要平静下来。”本说，“砰”的一声关上马厩门。“它只需要学会规矩。”

“规矩！”艾米喊道，“它甚至连障碍都看不到，它太紧张了！”

“它是我的马，用什么方法我来决定。”本气愤地说。

“就算是让它饱受折磨？”艾米驳斥道，“别这么固执了，本，用草药就能起到作用。”

“不可能的，我才不会给它服用那些垃圾。”本说。

“垃圾？”艾米惊呼道。

“人人都知道那些东西根本没用，”本说，“你想给这里的其他马吃什么悉听尊便，但瑞得得严格遵守正常的饮食。”他拿起马具转身要走，但接着却迟疑了。“听我说，艾米，你在赫特兰德马场想干什么是你的权利，但请记住，我从来都没想过要到这里来学那些东西。”说完，他不等艾米反应就匆匆走掉了。

很好，艾米想，她的怒火终于爆发了，这实在是把她逼到了忍耐的极限。

她气冲冲地朝后排马厩走去找泰。她一直试着对本耐心，她试过给他时间。但她不打算站在那里听他贬低她妈妈的治疗方法，或对他们在赫特兰德马场的工作表示蔑视。

“情况如何？”泰随意地问道。接着，他看到艾米满脸怒气。“好了，我知道了，情况不妙。”

“你肯定不会想到本说过什么！”艾米喊道。当她把她和本的对话原原本本告诉泰时，气得简直词不达意。

“他真这么说？”泰说。

“千真万确！”艾米喊道，“这太荒唐了！他到这里来干什么？他都不相信天然疗法，我讨厌他对待马的方式，他几乎什么活儿都不干！”她双眼喷火，“好吧，我受够了！他非常清楚地表明了自己的立场，他对这里的工作丝毫不感兴趣。我要去见卢。我们得对他采取措施！”

“比如呢？”泰问。

“让他滚蛋！”艾米愤怒地说，“立即！”

第六章

艾米推开后门。卢正忙着更新手提电脑上的账目，艾米突然冲进来时她吃惊地扭过头。

“我需要和你谈谈。”艾米说。

“出什么事了？”卢担心地问道。就在这时，电话铃响了。“稍等。”她说。

艾米不耐烦地在餐桌边坐下，她想立即把问题解决了。尽管和丽莎的约定带给马场许多方便，但她们不能回避本不适合待在赫特兰德马场的事实。

他必须走。

“噢，嗨，丽莎，”卢对着话筒说，“是的，我是卢。”

艾米吃惊地转过身来。“丽莎·斯蒂尔曼？”她用唇形问卢。

卢冲她点点头。

艾米内心里呻吟了一声。真不是时候！

“是的，是的，本适应得挺好的。”卢说。艾米猛地摇起头来，但卢已经转过身去，没有看见。“是的，我肯定。”艾米听到卢说，“不，没什么问题。你为什么这么问？应该有问题吗？”

电话那头顿了顿。当卢再次开口时她的声音变得很严肃。

“我明白，”她说，“是的……是的，我想让我们知道还是好些。”

艾米感到很吃惊。她们在说什么？

又是一阵沉默。

“我明白了，”卢最终说，“可怜的本。”

艾米瞪大了眼睛。丽莎到底在说什么?

“好的，就像我刚才说的，”卢继续道，“他好像适应得不错。但如果有什么问题我会告诉你的。是的，当然，这件事我们会保密，我可以向你保证。谢谢你打来电话，丽莎，拜。”

“什么事?”卢把话筒放到电话支架上时艾米问道。

卢转身，眉头紧皱。“是关于本的。”

“嗯，我猜到了。”艾米不耐烦地说。

卢慢慢坐在餐桌旁。“听我说，我要把她告诉我的事跟你讲讲，但你一定要保证不能告诉别人。”

“好的，”艾米回答道，充满了好奇。“我保证。”

“丽莎打电话来是想问问本适应得怎么样，”卢解释道，“她担心他有点难对付。显然他过去惹过不少麻烦，他过去有些问题。”

“继续。”艾米说，准备好了听卢讲出来。

卢叹了口气。“好吧，他十岁的时候父母就离婚了，从那之后他就开始逃学，总是麻烦缠身。因为他妈妈对离婚处理得不是很妥当，她觉得本在她身边成长也许对他身心不利。于是她就把他送来和丽莎一起生活，她以为改变一下环境对本有好处。丽莎刚才告诉我本花了好长时间才适应菲尔德的生活。本觉得妈妈和爸爸一样抛弃了他，把他丢在菲尔德不管。但接着，慢慢地，他开始发现自己有御马的天赋，于是他开始调整和享受新的生活。”

艾米很吃惊。“居然会是这样！”

“丽莎担心本会认为他再次被抛弃在了赫特兰德马场。她就是为了这个才打电话的，她想看看他干的怎么样。”卢皱起眉头，“但他表现不错，不是吗？”

“嗯……”艾米想着不知道怎么开口。“实际上，”她最终承认，“出现了一些问题。”

“但那天晚上你还说一切顺利。”卢说。

“不，我没这么说过，”艾米说，“但我没有机会解释，因为斯科特打电话过来了。起初我想这不过是因为本刚到，他需要时间适应，但情况越来越糟。”她把和本的争执告诉了卢，并说她来是想叫她辞掉他的。

“我明白了。”她说完后卢答道。她疑惑地看着艾米，“你还是这么觉得吗？”

艾米犹豫了。她为本感到难过，但她对他同情到了足以愿意留下他的程度吗？“我不知道。”她慢吞吞地说。

“想想本经历过什么，艾米，”卢说，“我们比许多人都懂得自己父亲跑掉，在和父亲没有任何联系的情况下长大是什么感受。尽管理智上你明白这不是你的过错，但你还是忍不住责怪自己。本肯定也有这样的感觉，现在他姨妈把他送到这里来，他也许感到很受伤，很迷茫。我想我们需要对他耐心，给他更多一些时间。”

艾米想起本早先的爆发。“但我们为什么要这么做？”她质问道，“我们经历过更不幸的事，我们没有到处指望别人给我们特殊待遇。至少本还有妈妈，而我们连妈妈都没有！”

“是，我们没有，”卢静静地说，“但我们知道，尽管妈妈离开了我们，但她在世的每一分钟都深爱着我们，我们没有任何理由怀疑这点。”她握住艾米的手，“艾米，你在这里，在赫特兰德马场长大，妈妈和外公都爱你，关心你。本却没有享受过这种爱护。”卢摇了摇头，“好好想一想，艾米，如果妈妈不是那么坚强，在她和爸爸分开后，把你送到别人那里寄养，你会是什么感受？”

艾米默不作声，细细体会着卢的话。那样她连想都不敢想。

卢的声音变得柔和了。“来吧，艾米。我们不要弃本于不顾。这段时间他肯定很难过，不知为何，我忍不住想，也许目前赫特兰德马场对他来说是最好的地方。”她用力握了握艾米的手，“我们不能试着去帮帮他吗？”

艾米慢慢点了点头。“好吧，”她说，“他能留下来。我会……我会试着去理解他。”

卢看起来如释重负。“谢谢，艾米，我真的很感谢。但你知道的，我想，我们知道他的过去这件事最好不要让他知道。”她补充道，“他也许会认为这是丽莎在出卖他。他肯定不想让人谈论这件事，我不认为他会对任何特殊对待做出什么好的反应。”

“我会对他只字不提，”艾米表示赞同，“我也不会告诉任何人，除了泰。”

“不，艾米，你连泰也不能告诉，”卢匆忙说，“我向丽莎承诺过她告诉我的消息就到我这里为止。我会把情况向外公解释，但这件事只限于我们家里人知道。”

艾米惊呆了。“我不能向泰保密！否则我告诉他我们不打算辞掉本的时候他会怎么想？这对他也会有影响。如果本再不尽力，我们又听之任之，泰会怀疑的。”

“只要告诉他说我坚持再给本一点时间就行了，”卢说，“说我们欠丽莎的，他的工资是丽莎出的。你尽管把事情怪罪到我头上，说我为了节省开支什么的，我都不在意。你只要向我保证你不会告诉他，艾米。”

艾米不情愿地看着她，叹了口气。“好吧，我保证。”

“听我说，艾米，”卢轻声说，“我肯定最终一切都会好起来的。本只是需要一些时间。”她微笑地看着她，“我们在赫特兰德马场帮助那些有问题的马，我们为什么不能帮帮他呢？”

艾米走回到院子里，陷入了沉思。泰正在马槽边给一只水桶装水。“情况怎么样？”他说，“卢怎么说？”

“她想再给本一次机会。”艾米回答道。

“你告诉卢他是怎么评价赫特兰德马场和他不想在这里的话了吗？”泰吃惊地问。

艾米点了点头。“她还是说我们应该多给他一些时间。”

泰皱起眉头。“你怎么没冲她发火呢？”

唯有这一次艾米真希望泰不是这么了解她。“也许这次她是对的，也许本只是需要多一点儿时间来适应。”

她看到泰吃惊地看着自己。

“无论如何，是丽莎出钱让他来帮忙的，我们欠丽莎的人情，”她迅速说，“尽管我也不确定他能否适应得了，但我想，我们得尊重这个事实。怎么说，多一个人帮忙总比没有好。”

泰耸耸肩，但什么都没说。

“我会再去找他谈谈，”艾米说，“他在哪里？”

“去原野牵杰克和独奏去了。”泰说。

艾米无力地笑了笑，转身朝户外围场走去，跟泰撒谎让她很难受。

她看到本正牵着那两匹马穿过大门。“需要帮忙吗？”艾米悄声说，走上前去接独奏的缰绳。

“谢谢。”本说。

艾米把玩着独奏的缰绳，不敢直视本的眼睛。这太尴尬了。“听我说……”她开口道。

“艾米……”本同时开口。

他们俩都停住了。“你先来。”本说。

“我想为之前和你吵架的事向你道歉。”艾米说。

“不，该道歉的人是我。”本懊悔地说，“我太过敏感了。你们太好了，让我到这里来，但我没有尽好本分。”他拍了拍杰克，“从现在起，我会尽量多做一些事的。有时候，我只是太关注瑞得，忘记了其他一切。”

“好的。”艾米说，她有些吃惊，但还是为他的道歉感到高兴。“这样太好了。”

“我生气是因为瑞得在训练场的表现，”本继续道，“但我不该那样冲你发火。”他嘴角勾起了一丝笑意，“如果我是我姨妈种马场的一名马厩伙计，她肯定早就把我开除了。”

艾米突然感到非常内疚。本似乎真心在为他之前说过的话而致歉。“噢，你不必这样，”她轻快地说，“我们走吧。”

他们牵着马穿过院子。“我妈妈今天给我打电话了，”本说，“她想过来看我和瑞得参加比赛。”他声音故作随意，但艾米看到他唇线绷紧了。“你知道吗？我不经常看到她。”

“噢，是吗？为……为什么会这样？”艾米不自在地问道。

本耸了耸肩。“我十岁时父母就离婚了。我妈妈很难接受这个现实，于是把我送到这里来和丽莎一起生活，当时我只有十二岁。我想妈妈肯定觉得离开一段时间对我有好处，尽管我到这里来已经很久了。”

“她之前来看过瑞得参加比赛吗？”艾米问，她极力想表现得轻松点。

“没有，”本说，他的声音突然变得安静了。“如果她这次真来了，将是第一次。”

“因为这样你想让瑞得好好表现，对吗？”艾米同情地说。

“无论她来不来我都想让它好好表现。”本耸了耸肩，“她怎么想我才不在乎呢。”

艾米朝他望去。就在刚才他把自己脆弱、真实的一面展示给她看了，但此刻隔阂再次竖起，他那固有的决绝神情又回到了脸上。

艾米把独奏送回马厩里，她一直想着本的话。他说他不在乎他妈妈怎么想，她不相信。她能看得出来，他非常在乎。这就是早先他在训练场对瑞得那么严苛的原因吗？现在对他来说，瑞得的表现是不是更重要了？

可怜的本，艾米想。他的情况很复杂。卢说得对，看来，他过去的伤痛远没有愈合。

接下来的几天，艾米放学回来都发现本在院子里努力地帮忙，如果需要的话，他似乎也愿意推迟下班。然而，很显然，他还是没有什么兴趣学习赫特兰德马场真正的工作。尽管他尽力工作，但他没有参与到治疗方面来。

周六，外公从绿石南接回了火石。艾米看到拖车沿着车道开回来，走出了正在打扫的马厩。

“它怎么样？”外公从卡车里走出来时艾米问道。

杰克·巴特利特扬起了眉毛。“有点儿难对付。它不让克莱尔拉它上拖车，最后我只好亲自出马。”

“谢谢外公。”艾米说，幸好外公当时在，她感到很开心。

“你确定能帮克莱尔制服它，艾米？”杰克·巴特利特说，看起来很担心。“她显然非常没经验。”

“我知道，但我真的想帮忙。”艾米说，她灰色的眼眸充满决心。“我真的想。”

外公端详了她片刻，笑了起来，微笑中夹杂着悲伤。“有时候你总是让我想起你妈妈。”他静静地说。

艾米的眼神和他的相会了。她用了许多时间让自己坚强地面对未来，但失去妈妈的悲痛总在那里，只有在这样的时刻，她的感情才会汹涌而出。这份感情眼看要泛滥成灾，但就在这时，惠特莉夫人的车开上来了，停在了拖车旁。

克莱尔打开车门跳出来时，艾米赶紧挤掉眼泪。

“哇！”克莱尔惊呼道，环视着赫特兰德马场的牲口棚和围场。“和杂志上看到的一模一样。”

“很有趣吧。”艾米说，她勉强把感情压下，让声音听起来轻松一些。她笑吟吟地望着克莱尔，“很高兴你喜欢这里。”

拖车里传来一阵踢打声。

“我们最好把这匹马放出来。”杰克·巴特利特说，开始拉开斜板和驾驶室门上的插销。

艾米很高兴有事情可做，她从敞开的门走了进去。克莱尔紧随其后。看到克莱尔，火石的耳朵向后贴平，扭动着脑袋往前伸。

“我来牵它。”克莱尔往后缩时艾米说。她动作灵敏地往火石的脖子边靠近，解开了缰绳。火石摇晃着脑袋，但她没有松开手。“放松。”她边说边抚摸着它，直到它平静下来。

“好啦！”她对外面的外公喊道。

杰克·巴特利特放低斜板，艾米牵着火石倒着退了出去。

泰和本也过来看。“一匹骏马。”当火石喷着鼻息，四下打量时本夸赞道。

“非常漂亮，”泰无比赞同，“不过看起来太紧张了。”

克莱尔走上前。火石长啸了一声，前蹄踢出。

“小心，克莱尔！”她妈妈惊叫道。

“它只是有点儿紧张，”艾米说，她觉得惠特莉夫人在场有些不自在。“它对这里的一切都不熟悉，仅此而已。”

她开始牵着火石绕着院子走，努力让它平静下来。

“我去给你倒杯咖啡吧？”杰克·巴特利特提出。

艾米看到惠特莉夫人点了点头，她悬着的一口气总算松下了。如果火石这会儿撒野，那她最不想的就是让惠特莉夫人看到。毕竟，他们费了好大的劲才说服她相信这匹马没有危险。

“那你怎么认为？”艾米问泰。

“嗯，它看上去不像是天生具有攻击性。”泰说。

“你肯定是在开玩笑！”本喊道，“你看到它刚才的表现了。”

泰不耐烦地看着他。“看看它的脑袋就知道了，你能看得出它不是天生具有攻击性。它看起来聪明、顽固，很难驾驭，但并不恶毒。”

艾米微笑地望着他，很高兴他也在火石的脸上看到了同样的特征。

然而，本却并不信服。“是的，接下来你就该告诉我你要查明它属于什么星座了。”

艾米试图解释，希望能提起他的兴趣。“泰说得没错，”她对本说，“你可以从一匹马的头上看出它的性格特征。马的眼睛、耳朵、鼻口和嘴唇的形状都能给你提供线索，让你看出它的性格。”

克莱尔看起来很着迷，“真的吗？那么，你从火石的头上看出了什么？”

艾米看着这匹纯种马。“嗯，它的大眼睛、大鼻孔和像麋鹿一样的鼻子表明它聪明大胆，但它瘪长的下巴、长嘴巴和耳朵紧凑连接的样子无不表明它很顽固，很难对付。它看起来像是那种需要找个值得它敬佩的骑手的马。”

“你从它脸上就能看出所有这些？”克莱尔吃惊地问道。

艾米点点头。

“那我该怎么做才能让它不再咬我？”克莱尔问道。

艾米迟疑了。“你必须赢得它的敬重，但这并不简单。”

“我不在乎，”克莱尔说，“我准备好了花时间，只要能成功，我什么都愿意做。我只是不想卖掉它。”

“好吧，我们会尽力帮你，”艾米说，“是不是，泰？”

“当然了。”泰说。他微笑地望着克莱尔，“如果你真有决心留住它，就没有理由不成功。”

“嗯，我会的。”克莱尔说。

就在这时，惠特莉夫人从房子里出来了。“你现在就和我一起回家吗，克莱尔？”她问道。

克莱尔不确定地看着艾米。

“我想今天最好让它先适应新环境，”艾米说，“我们明天再开始训练它吧。”

“好的，”克莱尔说，“那明儿见。”她瞟了一眼她的马。“再见，火石。”

这匹阉割过的公马凝视着远方，没有理她。

克莱尔又看了它一会儿，匆匆离去了。

“那么，”艾米牵着火石穿过院子往后排牲口棚走去，“你觉得克莱尔能学会对付它吗？”

“不太容易，这点确定无疑。”泰严肃地说。

“你说得对！”本说着加入了对话，“叫我说这几乎不可能！很显然，像她那样的女孩是绝不可能制服得了像火石那样一匹骄傲的纯种马的，我不知道你们为什么还要费那个心。”

泰猛地转身。他显然受够了本的消极态度。“是啊，”他说，“我想你是不会操这个心的，对不对，本？”

“你这话什么意思？”当艾米牵着火石走进马厩时本质问道。

“你怎么可能会明白呢？你对我们这里的工作没有一丁点儿兴趣！”泰厉声说。

艾米来到火石的门边。“泰……”她看到本下巴上的肌肉跳了跳，赶紧喊道。

泰没有理会她，他似乎真火了。“我认为你甚至都不知道真正想要一件东西是什么感受，本。”他说，“满心想要什么，不惜为之奋斗，你一辈子都过得那么轻松。好吧，克莱尔不像你那么自信，但如果她想留住火石，我们就会帮她，赫特兰德马场不光帮助有问题的马，我们也帮助有困难的人。”他摇了摇头，“我从来没指望你会懂。”他最后怒视了本一眼，转身走开了。

“他这是哪根神经搭错了？”本喊道，“我做了什么要受他这种窝囊气？”

艾米走出马厩，不知道该说什么好。泰很少发火。然而，本对克莱尔的评论点燃了泰的怒火。现在他们满院子的马，一天要工作这么多个小时，泰的压力实在太大了，显然已经达到了他能忍受的极限。她明白他不得不容忍本该有多压抑，本的心思根本不在这里。

“他过一会儿就好了，”她尴尬地说，“他只是最近工作太辛苦了，他累了。”她微笑地看着本。为了避免进一步讨论，她转移了话题，“瞧，我们打扫结束，出去骑马怎么样？”

她打扫完分配给自己的那几间马厩后去找泰。自从他爆发后她就没有看到他，她觉得最好给他一点儿时间冷静冷静。

他正在训练场训练穆奇。看到艾米站在大门边，他拉着那匹枣红色的大猎马停了下来。

“嗨！”他说着收起缰绳，牵着马朝她走来。

“嗨。”她说。

“早先我不该发脾气，”他很难为情，“我当时真是气糊涂了。本以为自己是谁？竟然教训我们不该为一匹马和它的骑手操心。你也许猜到了，他真的把我惹火了。”

“我注意到了。”艾米微笑道。她清了清喉咙，她要和本一起到小路上骑马，听到这个消息不知泰会作何感想。“我要和他去路上骑马。”她说，“我们骑独奏和吉普赛去。”泰惊愕地瞪着她，“它们需要锻炼一下……呃……你也可以一起来。”她快速提出。

“不必，谢谢，”他摇着头，“我不明白，艾米。就在几天前，你像我一样希望他走，而现在你却愿意和他待在一起？”

艾米避开他的视线。“我只是觉得他需要更多的时间来适应这里。我尽量让他感觉自在，是希望他能下定决心多参与一点我们的工作。”她抬起头，“来吧，你为什么不一起来？会很好玩的。”

“我对疯马没兴趣。”泰说着牵着穆奇走开了。

艾米感到很难受，就好像自己背叛了他。尽管他表现得若无其事，但她知道内心深处他肯定对她的所作所为感到很困惑。

“那稍后见。”她说。

泰略一点头算是回答。

二十分钟后，艾米和本骑马来到路上，沿着一条草长莺飞的大道慢跑。艾米朝本望去。他是个非常优秀的骑手，他把那匹固执的吉普赛控制得服服帖帖。吉普赛有十六手，是一匹荷兰母马，被送到赫特兰德马场来是为了治愈它喜欢弓背跃起的毛病。它现在好得差不多，可以回家了。有人骑时它还是很兴奋，但它不再弓背了。

“你想小跑吗？”艾米喊道。

本点了点头，让这匹母马放慢速度开始小跑。吉普赛听从他的命令，他拍了拍它的脖子。

艾米让独奏放慢了速度，让它在吉普赛身旁小跑。“它很听你的话。”她说。

“它是匹不错的马，”本说，“它的主人带它参加什么比赛？”

“主要是花式骑术。”艾米说，“但我想它现在不弓背了，他们也会希望带它去参加一些马术赛。它只有五岁。”

“你是怎么让它不再弓背的？”本好奇地问。

“我们在它背上绑了个假人，让它尽情地弓背，直到它意识到无论它怎么弓背，那个假人都不会跌下来。等到它意识到弓背不起作用时，它就不再弓背了。我们调整了它的膳食，用草药和熏衣草油来安抚它的神经，然后我们就骑到它背上。”

本觉得很有趣，不禁笑了。“我想你也分析了它的性格吧，那个肯定帮到了忙。”

“实际上的确是。”艾米答道，“如果你仔细看它的脑袋，你会发现它的额头从眼睛上方向后倾斜，一直延伸到它的后脑，它的鼻口向下倾斜，鼻孔窄小。所有这些特征都表明它很有可能既固执又任性。我们一直训练它，试着鼓励它去和人们合作，而不是抗拒。”

本哈哈大笑。“你真的对所有那些东西深信不疑，对不对？”

“是的。”艾米简单地答道。

“那好吧，”本挑战她，“瑞得是什么性格？”他咧嘴笑道，“说吧，分析一下它的性格。”

艾米想象着那匹栗色大马。“好吧，它额头很宽，嘴巴很长，下巴平窄，所有这些都表明它非常聪明，学东西很快，”她若有所思地说，“它杏仁形的眼睛和凹槽状的鼻孔也显示它有可能愿意去信任人，与人合作。”

“继续。”本说。

“但它的脸略微下凹，这表明它非常敏感，需要小心对待。它需要人理解。如果你把它逼得太狠，它会失去自信。”艾米看着本，他的眉头皱起来了，“嗯？你认为呢？”她问道，“你最了解它，我的描述正确吗？”

“八九不离十。”本承认。

“你看！”艾米得意洋洋地说。

“话虽如此，但你已经很了解它了，”本迅速说，“我怎么知道你分析得头头是道不是你通过观察它在院子里的表现，而是仅凭观察它的脑袋得出的。”

“你是不知道。但你只需要相信我，”艾米说，“我们的大部分工作就是这样，表面上看都没有意义，但我们得到了想要的结果。”她看着他，“当然了，这才是最重要的。”

“也许，”本说着拍了拍吉普赛，“但我宁愿相信科学。”

尽管他嘴上这么说，但艾米觉得他的态度起了轻微的变化。

他们骑马转过一个弯，小路又宽阔起来。“来吧，”她说，决定现在不再逼他，“我们慢跑起来！”

第七章

午餐后，艾米去检查火石，看看它适应得怎么样。“我想我要带它到训练场去训练二十分钟。”她对泰说。

他点了点头。“那你有没有什么主意帮助克莱尔？”

“嗯，首先，我会教她给它做T字形按摩，”艾米说，“然后她需要从头开始学习训练它，先用训马索训练，然后摘下训马索继续训练。”

“好主意，”泰说，“这能帮助他们建立感情，一旦建立起了深厚的感情，那她骑它就不会困难了。”

艾米看着站在马厩后面的火石。“这样一匹马称不上友好吧？”

“也许它的行为问题背后有隐情，”泰若有所思地说，“你了解它的背景吗？”

艾米摇了摇头。通常她都会把一匹马过去的情况打听得一清二楚，但她不是以惯常的方式接收火石的。“明天我一见到克莱尔就问问她。”她说着走进了马厩，“来吧，火石，我们去舒展下筋骨。”

就像她跟泰说的，她计划让克莱尔从头开始训练火石，在它的马笼头上系根绳子来控制它听她的命令：走、小跑、慢跑，改变方向、后退、回到训练场中央，最终达到克莱尔不用训马索而只用声音命令就能控制火石的目的。艾米确信这种名叫“自由权”的方法能帮助克莱尔和火石建立起以信任和尊重为基础的亲密感情。

然而，在克莱尔开始训练它之前，艾米想查明火石以前是否被人用训马索训练过。她把绳子放到马笼头上，拿起鞭子，牵着火石走出了马厩。

尽管赫特兰德马场的鞭子从来没有用来抽打马，但在

“自由权”训练项目中，他们却要用鞭子来指导马——放在马身前让它放慢速度，指着它的肩膀来让它待在训练场侧边，或轻打沙地鼓励它前进。妈妈总是告诉艾米，不要把马鞭当做鞭子，而要当做手臂的延伸。

一走到环形训练场，艾米就让火石走到训马索的长度所及的地方。它很快就表明它之前经受过这种训练，一听到命令它就开始绕着她走、小跑、慢跑。

过了十分钟，艾米决定开始教它一些新的命令。她需要人帮忙，她本打算去叫泰，但这时她看到本正站在马粪堆旁。令她吃惊的是，他好像在看她驯马。实际上，看样子他在那里站了有一会儿了。

“嗨。”她冲他喊道。

本举起手回应。

艾米迅速做出了决定：“你愿意过来帮帮我吗？我需要人帮忙。”

本犹豫了一下，随即点了点头。“当然。”他回喊道。

等他走近，艾米向他解释他要怎么做。“我要教它听到命令改变方向，”她说，“你在一旁牵着它，当我说转的时候你就鼓励它转向，懂了吗？”

“没问题。”本答道。

艾米咂了咂舌头，叫火石前进。走了几步，她说：“转。”

本引导火石转向。

他们重复了几次这项练习。“我们为什么要这么做？”本问道。

“这是‘自由权’练习的第一步，”艾米说，“你先用训马索教马接受口令，等它掌握了口令，你就解开训马索，看看它不系绳子是不是依然服从你的命令。”

“但为什么要这么做？”本说。

“因为这能帮助马和骑手建立感情。”艾米解释道。

本慢慢从火石身边走开，直到这匹马仅听艾米的口令而不用他指导就会转向。

“我们今天就到这里吧。”艾米说。她对火石学习的速度和本的帮助都很满意。他也许会说他不相信天然疗法，但他一旦放下怀疑，将会是个很好的助手。他似乎能感觉到火石什么时候需要他的指导，什么时候他应该退开。

“谢谢，”艾米对他说，“你做得很好。”

本耸了耸肩。“不用客气。”

当艾米把火石牵回到它的马厩时，泰从舞蹈家的马厩往外看。“它怎么样？”他问道。

“很好，”艾米答道，“我让本帮我了，我们开始教它怎么听口令转向。”

“你让本帮你了？”泰反问道。

“是的，”艾米说着把火石牵进了马厩里，解开了马笼头，“实际上他干得很好。”

她走出马厩。泰正站在走廊里，操着双臂，沉着脸。“我不明白。”他说，“你对本怎么这么有耐心？这不像你，艾米。”

“谢谢！”艾米说，试图一笑了之。

但泰继续蹙着眉。“不，我的意思是……你肯定有事瞒着我。你花时间和本待在一起，帮他说话。为什么要这么做？”

“卢让我这么做的，这你是知道的。”艾米飞快地说。

泰扬起了眉毛。“是啊，你一向很听卢的，”他挖苦道，“说实话，艾米。你现在是在和我说话。”

艾米多想告诉他真相，但她知道她不能。“好吧，你知道，现在我想努力多听卢一点。除此之外，我觉得她说得有道理，”她说，“也许我们应该再给本一次机会。就在刚才，他让我看到他有能力学习，他只是需要用正确的方式引导。”看到泰眼中的怀疑，她抬高嗓门辩护道，“听我说，你说这么有耐心不像我，泰，好吧，这么批判可不像你。你为什么不能让本喘口气？”

她看到泰脸上掠过一丝受伤的神情。他没有再说什么，转身走开了。

艾米再也受不了了，她必须做出解释。“好吧，好吧，”她绝望地说，“你说得对，我的确有些事瞒着你。”

泰转过身来。

艾米忍住了。“但……但我不能告诉你。”

泰瞪大了眼睛。“你不能告诉我？”

艾米看到他眼神中流露出难以置信的神情。她摇了摇头。“我向卢保证过的。”她小声说。

泰的脸颤抖了一下。“我明白了。”他冷冷地说。

“我真的很想告诉你的，”艾米冲口而出，“你得相信我，但我也要尊重卢的意愿。”她恳切地望着他，“请试着理解。”

泰望向她的眼神冷若冰霜。“你知道的，艾米，这会儿我觉得自己一点儿都不懂你。”他逼视着她，“你变了，”他短促地说着走开了，“我有工作要做！”

艾米感到痛苦得无以复加。从泰开始在赫特兰德马场做全职开始，她妈妈总是强调无论发生什么事都要告诉他，她死后，他就像她们家的一份子，和她们共同承受痛苦，和她们一起奋斗，让赫特兰德马场正常运营下去。而现在她有事情瞒着他，把他当个外人。

她不想这样的。但她向卢承诺过，她能看得出来，如果能在本的私人生活不被太多人知晓的情况下解决本的问题，从长远来看是一件好事。她肯定如果泰知道这个情况，也会这么想的。

要是我能告诉他就好了，她想。

那天晚上，艾米走进房子，朝她姐姐的卧室走去。卢正在准备和斯科特的约会。

“有什么事吗？”她看到艾米在她的卧室门边徘徊，问道。

“泰，”艾米说着叹了口气，“卢，我觉得我应该把本的事告诉他。”

“我明白，艾米，我真的明白，”卢柔声说，“但请给本再多一点儿时间。等本和我们相处融洽了，泰也会理解的。让你陷入这样的困境，我真的很抱歉，但我想遵守和丽莎的约定。外公也同意我的做法，这么做是对的。”

艾米没有再说什么。她明白卢的观点。她知道如果她是本，如果她发现她们都知道自己的过去，她会讨厌她们谈论自己的问题。如果她处在他的位置，她会想要重新开始，把过去留在身后。

“对不起，”卢继续道，“我知道这对你来说很难，我让你左右为难了，但请你信我这一次，这是帮了我一个大忙。”

“好……好吧。”艾米叹了口气，真希望事情可以不用这样。

卢微笑道：“谢谢，艾米。听我说，如果你想找人倾诉，随时都可以来找我。你知道的，对不对？”

艾米点了点头。“斯科特什么时候到？”她问道。

“随时会到，”卢说着瞟了一眼手表，“我要动身了，要不就迟了。”

突然外面传来一辆小汽车的声音，艾米朝窗外望去。“斯科特到了！”她说，笑吟吟地望着姐姐。

卢跟着艾米走下楼，匆忙去开门。

“嗨，艾米。”斯科特说着走进了厨房。他看到了卢，“嘿，”他说，“你看起来漂亮极了！”

“谢谢，”卢说，脸变成了红苹果，“你也是。”说完脸更红了，她飞快地四处张望起来。“我去……我去拿我的外套。”

“在大厅里，”艾米说，偷偷享受素来镇定的卢在斯科特面前局促不安的样子。有时候能看到姐姐脆弱的一面真好。

卢拿着外套从大厅走出来，斯科特打开了门。

“享受美好时光，孩子们。”艾米有意打趣他们。

“我们一定会。”斯科特说，微笑着望着卢。

艾米周日早上很早就醒了。她听到关门声，一辆小汽车开走了。她瞟了一眼床头边的闹钟亮闪闪的指针，已经是凌晨两点了。她笑了，情况肯定进展顺利！

艾米起来的时候没看到卢。今天泰和本休假，但泰一如往常赶过来帮忙了。他们给马喂食时泰一直很沉默。

“我去看看后排牲口棚的马。”等马儿们吃饱喝足了，泰对艾米说。他甚至都没等艾米回答就匆匆走开了。

艾米叹了口气，她讨厌对泰保守秘密，现在泰知道自己有事瞒着他，情况更糟糕了，但她不知道要说什么来弥补彼此间的裂缝。

过了一会儿，艾米看到卢从房子里走出来。她赶紧走过去，“昨晚怎么样？”她迫切地问道。

尽管卢看上去还没睡醒，她依然笑容满面。“太棒了！我们有聊不完的话。”

“那你们还会再约会吗？”艾米问道。

“也许。”卢说。

“什么时候？”艾米追问道。

卢微笑道：“今晚。”

“噢，卢！真是太好了！”艾米说，高兴地抱紧了姐姐，“我都等不及告诉马特和苏拉娅了！”

克莱尔早上姗姗来迟。“好吧，到马厩里来。”艾米说，抓住了火石的马笼头。克莱尔紧张地走了进去，火石耳朵向后贴。

“听话！”艾米高声地对它喊道，“没关系，克莱尔，过来拍拍它。”她好脾气地说。

“首先，你要学会做T字形按摩。”艾米说。她向克莱尔演示如何用手指在火石的肌肉上轻轻打小圈按摩。

“打完一个圈之后就把手指挪到它脖子上另外的地方，继续打圈。”艾米说，“动作要慢，你越慢它就越放松。”

艾米仔细看着火石的眼睛。它看上去并不特别喜欢，但也不反对克莱尔碰它。过了一两分钟，它似乎略微放松了。

“沿着它的脖子一直往下到它后背上，再到它臀部。”艾米说。

过了十分钟，艾米放开了火石的马笼头。克莱尔按摩的时候它安静地站着。

“我喜欢做这个。”克莱尔抬起头说。

“我们对所有马都这么做。”艾米说，“对那些紧张或过度敏感的马，或你想要增进和一匹马的感情，这招尤其管用。”

过了一会儿，她们把火石牵到训练场，艾米先来训练它。它刚开始很兴奋，但慢跑了几圈，兴致勃勃地弓了几次背之后，它开始平静下来，听从艾米的命令。

“好了，现在你来，克莱尔。”艾米说，让火石停了下来。

“它看起来有点儿活跃。”克莱尔不安地说。

“没事的。”艾米答道，“相信我。”

克莱尔不情愿地走进训练场。艾米微笑地看着她，让她放心，把训马索递给她后走到了大门边。

“往前走。”克莱尔犹豫地说。

火石纹丝不动。

“往前走。”克莱尔拿着鞭子向它走去时声音都在颤抖。

火石在沙地上跺了跺马蹄，威胁地把耳朵向后贴。克莱尔迅速撤回了马鞭。“它不动。”她无助地望着艾米说。

“说得像真的似的。”艾米有点儿生气地说。

克莱尔又试了试，但这次火石朝她走来，耳朵平贴。克莱尔倒抽了一口冷气，往后跳去。“艾米！”

她的一只脚卡在了不小心从她手上脱落的、卷起的训马索里。她大叫了一声，跌倒在地上。

火石受惊地后腿直立。

“不！”克莱尔喊道，双手捂住了脸。

艾米飞快地跨过了大门。眼看着火石的前蹄就要落地，她抓住了它。

“放松！”艾米紧紧抓住了马笼头。

这匹纯种马响亮地闷哼了一声，死盯着克莱尔。

“你没事吧？”艾米问道。

克莱尔点了点头。“我以为它要攻击我！”她边说边挣扎着站了起来。

“没事的，你只是吓到它了，”艾米说，她看着火石紧张的眼神，“它后腿直立并不是要攻击你。”这样下去根本不会有进展。“好吧，要不你再看看我怎么做？”她说。克莱尔感激地点了点头。

她训练了火石大概二十分钟，接着朝大门望去。她知道克莱尔需要和火石一起训练，但现在火石这么配合她，如果克莱尔接手，它又开始调皮捣蛋就实在太扫兴了，这样一来，这场训练必定会以失败收场。

她命令这匹灰色公马停下来。“我想我们现在要把它送回去了。”她对克莱尔喊道。

“好的。”克莱尔说，不必再训练火石，她看起来松了一口气。

艾米牵着火石穿过大门。“那你知道火石过去的经历吗？”她问，想起了前几天和泰的对话。

“嗯，一点儿。”克莱尔回答道，“我知道它是一个女人养大的，她把它养到五岁就卖掉了。现在它六岁了，我想过去一年除了我之外它还有过两个主人。”

“这么说，它一直过着不稳定的生活。”艾米说，“也许是不停地换主人和牲口棚导致了火石现在的问题。一年换了三个主人，难怪它会焦躁不安。”

“我倒没想到这个，”克莱尔说，“但我想你说得对，这对它来说肯定不容易。”她忧伤地笑了，“我懂它的感受。”

艾米好奇地看着她。“为什么这么说？”

“嗯，自从爸爸和妈妈离婚后，妈妈就一直换工作，我们不停地搬家，”克莱尔解释道，“我不停地换学校，重新交朋友，就像火石。父母离婚后，从来没有哪个地方真正称得上是我的家。”

“你也不容易。”艾米说。

克莱尔耸了耸肩。“我能克服。”她的声音提高了，“妈妈似乎真的很喜欢这里，也许她不想再搬走了。我们离我爸爸近了，我能经常去看他。他这段时间不在，但我要等他回来，再来看看火石。”

“好吧，现在我们知道火石的遭遇了，可以用一些香精或花粉来帮它舒缓身心。”艾米说，“一旦它平静下来，就有可能更乐意和你建立新的关系。T字形按摩也能起到作用，因此我们要从头开始训练它。”

“我希望在我身边它能表现得更好。”克莱尔充满希望地说。

艾米微笑地望着她，给她安慰：“我肯定它会的。”

午餐时间本来了。“我骑完瑞得后就来帮你干剩下的活儿。”艾米走过来打招呼时本说。

“但今天你不是休息吗？”艾米吃惊地问。

他耸了耸肩，“反正我也没别的事。”

“那好吧，谢谢。”艾米说，微笑地看着他，很高兴他想多帮点儿忙。

“妈妈昨晚给我打电话了。”他们一起朝马具室走去时本告诉她，“我还以为她打电话来是像她之前一样要取消约定，结果她说她一定会来。”他拿起自己的梳洗工具。“我得赶紧了，瑞得和我还要练习呢。”

艾米坐下来清洗马具。过了一会儿，本牵着瑞得来到训练场。她正把一个马笼头放回到架子上，这时泰走进了马具室。

“又来了！”他喊道，他双眼幽暗，燃烧着熊熊烈焰，“我受够了，那个家伙在挑战我的极限。”

艾米从来没见过泰这么生气。“怎么了？”她吃惊地问道。

“你过来看看他是怎么对待瑞得的！”泰喊道。

他气冲冲地走出了马具室。

艾米在后面追他。“泰！等等！”但泰根本没有停步。

她匆匆赶到训练场，看到本正骑着瑞得在一个障碍前不停地转着小圈，瑞得看上去神情紧张。

“他知道自己在干什么吗？”看到瑞得拼命挣扎，口吐白沫，泰质问道，“他还要让那匹马的神经绷得更紧吗？我不能袖手旁观。”

艾米深吸了一口气，试图摆平眼前的情况。她讨厌自己当上了外交官这个新角色！“他正在阻止瑞得往障碍冲。”她快语道，“听我说，他这几周要参加的比赛对他来说真的很重要。”她像泰一样讨厌看到本这样骑瑞得，她希望他能停下来，但现在，她既然已经知道了本为什么如此期盼瑞得在比赛中取得好成绩，她只好努力说服自己去理解他。

泰转向她。“那你赞成他这么做了？”他难以置信地问道。

“当然不是，”艾米说，“但我们能怎么办呢，他是本的马！”

“但他这是在赫特兰德马场。”泰说，他的唇线绷紧了，“好吧，如果你不去说，艾米，那我来。”

“等等，泰！”艾米恳求道。

但太迟了。泰已经大踏步朝障碍走去。“你知道自己在干什么吗？本？”他喊道。

本拉住瑞得停了下来。“怎么了？”他吃惊地问道。

“你那样子骑瑞得，你看看它。”泰指着瑞得脖子上渗出的汗水，“你难道疯了吗？”

本的眼神变得冷酷了。“你难道没看到它正朝障碍跑？”

“噢，是的，你给了它这么大压力，你以为它会停下来吗？”泰质问道。

“说得好像自己很懂似的！”本厉声说。

“反正我知道如果让一匹马——任何一匹马变成这样，它根本就没办法思考，更别说学习了，”泰厉声回敬道，“这是我见过的最愚蠢的举动。”

“好吧，谢谢你的意见，”本说，使劲用脚踹瑞得的腹部，马儿再次慢跑起来，“我不需要你的帮助。”

艾米看出情况已经无法控制了。“泰，听我说……别管这事了。”她说着冲了过来。

他猛地转身。“不管？不管！”有那么一会儿，艾米觉得他要抓住她的肩膀，拼命把她摇醒，但他克制住了。“这完全不像你，艾米，”他说，声音安静，语气却激烈，“每当看到一匹马遭受虐待，你总是第一个站出来。”

“本并没有虐待瑞得……至少他本质上并不残酷。”艾米绝望地辩解道。

泰朝训练场望去，瑞得正被逼得团团转，它低着头，鼻子上大汗淋漓。“这么说你认为这不是在虐待一匹马？”他质问道，转过身来，深深地望进艾米的眼睛里。

艾米不置可否，她说不出来。她知道他说得对，这整个愚蠢的场面伤透了她的心。

泰凝视了她一会儿，接着愤怒地摇了摇头，感到难以置信。他推开她走开了。

第八章

那天剩下的时间，艾米感到泰在有意回避她。喂完马后，他不像平时那样在她身边晃荡，跟她聊天，而是径直离开了。

“他今天是怎么了？”本问道，她目送泰的小汽车沿着车道颠簸离去时本走了过来。

艾米耸了耸肩，她没办法跟他聊这个话题。“噢……不知道，我想他只是心情不好吧。”

“叫我说，他心情从来就没有好过，”本说，“那家伙就不能高兴点吗？”

“你不了解他，”艾米为泰辩护，“他人很好。”

“是啊，如果你是一匹三条腿的精神病马的话。”本说。

艾米瞪了他一眼走开了。

“嘿，艾米！对不起。”本说，跟在她身后。

她停住了。

“听我说，别误会，”本叹了口气，“我知道你和泰相处得非常融洽，他对送到你们这里来的马很好，但我希望他不要再教训我，说我该怎么训练我自己的马。”

“他之所以这么说是因为他在乎。”艾米说。

“你这是说我不在乎？”本质问道。

“我有时候想……”艾米开口了。

“艾米，瑞得是我生命中最重要的东西。”本打断了她的话，“我绝不会伤它一丝一毫。”

“那今天下午怎么说？”

“你和泰也许不赞同我的方法，”本继续道，“但我有我的方法，我用自己的方法来训练我自己的马，如果你们俩不喜欢，那是你们的问题，不是我的。我不是唯一使用这些方法的人，你知道的。”

艾米深吸了一口气。她很想冲他怒吼，让他不要那么固执，听她和泰的话。但她知道这毫无用处。她不能逼迫他改变训练方法，这么做只会让他和自己敌对，就像他和泰一样。她唯一能做的就是耐心，给他时间，把他争取过来。

接下来的几天里，院子里的气氛也没有改善。泰尽量避着本，如果艾米在院子里，他对她也极其冷漠。为了不让自己烦心，艾米把全身心都投入到训练火石上。

克莱尔每天放学后都来赫特兰德马场。她越来越有信心使用T字形打圈按摩，用稀释过的香精给火石按摩，艾米希望香精能舒缓它的神经。至少在马厩里，火石越来越能接受克莱尔了。但它一到训练场，一切就都改变了。

一旦要在空旷的地方控制火石，克莱尔的自信就一扫而光，到最后她总是把训马索交到艾米手中，站在大门边观看。

艾米告诉自己这没关系。她们要慢慢来，至少火石在训练口令中有所进步。她也不得不承认她喜欢训练火石。它的聪明意味着它是一个挑战，但同时也意味着它学东西很快，她很快就感觉到他们之间的感情日渐亲密。

周五下午，她放学后朝火石的马厩走去，它正从马厩门上向外张望，一看到艾米便轻声嘶鸣。

艾米很高兴，这是火石表达感情的第一个信号。她匆匆上前，从口袋里掏出一包薄荷糖。“嗨，小伙子。”

她从袋子里掏出一片薄荷糖时，火石用暗灰色的鼻口轻轻蹭着她的胳膊。

就在这时，泰从舞蹈家的马厩里走出来。

“它变得更友好了。”他说，看着火石正在蹭艾米。

她点了点头：“你听到它轻嘶了吗？”

“听到了。”

艾米抬起头，泰正在望着她。“什么？”她看到他眼神中的担忧问。

“我们是指望它和克莱尔之间建立感情的，艾米，不是跟你。”

“这个我知道。”艾米飞快地说。

“那你为什么天天和它一起训练？”泰问。

“嗯，克莱尔不愿意。”她辩驳道，“无论如何，我没有在马厩里训练它，现在都是克莱尔在给它做T字形按摩。”她看到泰的眼睛里依然充满担忧，“克莱尔只是需要多些时间来建立自信！”

“如果你什么都帮她做，那她永远都不能获得自信。”泰说。

“但如果现在就让它开始户外训练，火石会变得更糟糕，”艾米反驳道，“我只是为它着想！”

“你也应该为克莱尔想想，”泰说，“你不会是忘了吧？”

艾米感到热血刺痛了她的双颊，其实内心深处她知道泰说得对，但她多么希望他错了。她喜欢训练火石，她真的担心如果让克莱尔来训练，不知道它会变成什么样。

“是我在治疗它！”她说，“怎么做得由我来决定！”

“你来做决定？”他睁大眼睛望着她，“我以为我们是一起治疗马的，艾米。”

艾米艰难地吞咽着，当她意识到自己说了什么时，脸变得更红了。“我……我不是有意……”她感到非常不自然。她之前从来没有这样跟泰说过话，自从她妈妈死后，所有马的治疗都由他们共同决定——他们是平等的。

就在这时，克莱尔出现在走廊尽头。“嗨！”她喊道，没发觉空气中的紧张气氛。她匆匆朝他们走来。“你好吗，泰？“

“好。”他答道，从艾米身边走开。他朝克莱尔一笑，艾米注意到他似乎总是特别努力想对她表现出友好。

“我有个请求。”克莱尔说，看着他们俩。

“尽管说。”泰说。

“嗯，我当初接火石到这里来，离开绿石南时走得很匆忙，把它的三块地毯落在那里了。”克莱尔看起来很尴尬，“我不想一个人去那里，我怕会碰到艾什莉，我希望……”

“我们中的一个陪你一起去是吗？”泰帮她把话说完了。

克莱尔点了点头。“你愿意吗？”她满怀期待地问。

“当然。”泰耸了耸肩说，“我们可以坐我的车去。”

“那太好了，我也去。”艾米说。她冲克莱尔微笑，竭力忘掉和泰的争吵。“我们会保护你，一起对付艾什莉。”

他们上了泰的车。克莱尔依然没有感觉到泰和艾米之间的紧张，兀自聊开了。现在她不害羞了，人也变得很有趣。

他们到绿石南时，没看到艾什莉或瓦尔·格兰特的影子。“我和克莱尔一起去拿地毯，”艾米对泰说，“只要几分钟就好。”

泰点了点头：“我就在这里等。”

艾米和克莱尔找到了火石的地毯。“至少我们没有碰到格兰特母女俩。”她们匆匆穿过院子往回走时克莱尔说。

“话别说得太早。”艾米说。当她们转过拐角朝小汽车走去时，她看到艾什莉靠在车上，正和泰热聊。

克莱尔顿时僵住了。“噢，真倒霉。”

“来吧，”艾米催促道，“怕什么。”

艾什莉背对着她们。她们走近时看到她把头发向后捋了捋，娇笑连连，朝泰凑得更近了。

艾米顿时感到一阵愤怒涌上心头。她咬紧牙，疾步朝他们走去。

“我们绿石南很需要像你这样的人才，泰。”她听到艾什莉说。说到人才这个词的时候艾什莉的声音突然下降，很刺耳。“你知道吗？我妈妈迫不及待地想让你到这里来工作。”

“泰已经有工作了，艾什莉！”艾米说。

艾什莉转过身来。“嗨，艾米。”她冷冰冰地说，“泰和我只是在……”她眼神瞟回到泰身上，“随便聊

聊。”

“是吗？我都听到了！”艾米气呼呼地说，“好吧，泰是不会离开赫特兰德马场的，是不是，泰？”

泰微微摇了摇头，有些气恼地看着艾米。艾米暗暗骂自己。她知道她不应该这样代他回答，但她急坏了，忍不住插嘴。最近赫特兰德马场的情况变得这么棘手，她忍不住会想泰也许会被格兰特的开价所诱惑。果真如此的话，她觉得自己也不能责怪他。

“真遗憾，”艾什莉继续道，双眼透过长长的睫毛望着泰，“我们在一起会很有趣，你什么时候改主意都不晚，这个职位还是空着的。实际上，妈妈这么求贤若渴，你也许能自己开价。”

艾米一把将地毯扔到车后座上。“来吧！我们走！”她被艾什莉气疯了，差点儿都想动手。艾什莉怎么敢当着她的面劝泰去绿石南！看到艾什莉再次冲泰甜甜微笑，她差点儿要爆发了。“我说我们走！”她厉声喝道，跳进了前排座位上。她知道自己表现得很糟糕，但这场面让她觉得恶心。噢，要是泰和我的关系像以前一样就好了，她想。

“再见。”泰对艾什莉说。

艾米甩上了门。

克莱尔匆匆坐进后座。“吓破胆了，没帮手不敢过来是吧？”艾什莉说，声音里满含讥诮，“真可怜。”

克莱尔别开了眼神。

“拜，泰。”泰发动引擎时艾什莉说，“记住我说过的话。”

艾米气不打一处来，回赫特兰德马场的一路上都没说过一句话。他们一回到家，艾米就径直朝饲料室走去，装夜间用的干草兜，以此来排遣怒火。

克莱尔过来找她。“火石准备好了。”她说。

“好的。”艾米说。抖干草时她怒气未消，愤怒地将干草往网兜里装，但她感到平静了些。

“艾什莉真的把你惹火了对不对？”克莱尔试探地问道，她们一起朝马具室走去拿火石的马笼头和驯马工具，

“她对泰都是这样吗？”

“别再跟我提艾什莉。”艾米气愤地嘟囔道。

“噢……好吧，”克莱尔说。她顿了顿，“那么……你今晚打算怎么训练火石？”

艾米想着泰的话。克莱尔的确需要开始训练火石了。

“嗯，我要训练它骑马转圈，不过是转小圈，”艾米说，“然后我想你应该试一试，看看它会怎么反应。”

克莱尔看上去非常惊慌。“我们不能再等一段时间吗？我的意思是说，它对你这么好。”

“是的，但它需要对你好，”艾米说，“它在马厩里对你好多了。如果你对它坚定一些，我想你会发现它在户外也会表现得很好。”

克莱尔看上去并没有被说服。

艾米带着火石训练了五分钟，然后决定让克莱尔来试一试。她让火石停下来，对站在大门边的克莱尔喊道：“走到中间来。”

“你确定吗？”克莱尔紧张地说。

艾米点了点头：“没事的。”

克莱尔小心翼翼地走到训练场中央。

“我训练它的时候你站在我身边就好了。”艾米说。她让火石再次小跑起来，跑完三圈后她把训马索交给了克莱尔。“好了，该你了。”

“不。”克莱尔迅速说，想把绳子还给艾米。

“来吧。”艾米说，不肯接，“没关系的。”

火石感觉到艾米的注意力不够集中，放慢了速度，朝训练场中央望去。“叫它继续小跑。”艾米迅速对克莱尔说。

“继续小跑！”克莱尔紧张下令。

火石慢下速度开始走。

“继续，让它服从命令。”艾米更坚定地说。

但克莱尔摇了摇头，把训马索还给了艾米。“你来吧，它会听你的。”

艾米叹了口气，拿回了绳子。

“艾米！”她朝大门望去，看到泰站在那里。她不知道他看了多久。

“什么事？”她喊道。

“我需要和你谈一分钟。”

艾米让火石停了下来。“不能等会儿吗？”

“刻不容缓。”泰说。

艾米喊火石过来。这匹灰马驯服地走过来。艾米转身想把它送回马厩去，不知道泰想和她说什么，这么急切。

“克莱尔会帮你牵着它的，行吗，克莱尔？”泰问。

克莱尔看起来吃了一惊。“嗯……呃……”

“我们不会很久的。”泰微笑地对她说，“只要牵着它走走，给它做下T字形按摩就行了。”

“好的。”克莱尔同意了。

艾米朝大门走去。“嗯？”

“我们不要在这里谈，”泰说，“到院子里来。”

艾米跟着他从大门走开了。“那么，什么事这么重要？”她问道。

“克莱尔和火石之间的关系，”泰说，“你得让她自己训练它。”

艾米瞪着他。“那你认为我想干什么？事实上是我逼她把训马索接过去的。”

“但接着你又拿回来了。”泰摇了摇头，“我知道你想帮她，艾米。但你难道没看出来？只要你在那里，克莱尔就永远没有机会。火石会一直围着你转，克莱尔那么敬畏你，她甚至连试都不敢试。”

“那你是想让我留下她独自面对火石？”艾米说，“好的，很好，泰！你知道我上次试着这么做时发生了什么。”

“但从那以后她一直在给它做T字形按摩，”泰说，“他们的关系改善了。”

“还不够！”艾米说。

“给她一个机会，艾米。”泰坚持道。

艾米摇了摇头。“我必须为火石着想，它会感到迷惑。我们得优先考虑马的感受。”

泰看着她。“为何本和瑞得就可以例外？”

艾米被刺痛了。“这不一样！”

“不是吗？”泰说。

“不，当然不是！”她愤怒地喊道，“我像你一样再也无法忍受本那么对待瑞得，但我们没有办法。听我说，如果你那么理解克莱尔，那你就不能对本多一点理解吗？”

泰嘲弄地大笑。“要理解他什么？他是个被宠坏的富家子弟，比起马，他更关心比赛成败。”

“不是这样的！”艾米说，“本的确在乎瑞得，他很在乎。”

“好吧，那他表现的方式还真是奇特！”泰厉声道。他摇了摇头，“我只是不明白你为什么一直这么维护他。就像我那天说的，你变了，艾米。我不知道为什么，但你的确变了，这影响了这里的事业。我到这里来是为你妈妈工作，遵循她的理念，但现在赫特兰德马场已经不一样了。”突然电话铃声大作。“我去接。”他说着快步走开了。

艾米感到很生气，匆匆赶回到训练场。这会儿她觉得压力太大了，真是祸不单行。她转过拐角，突然刹住了脚步。克莱尔正站在训练场中央，命令火石走动起来。

“走！”艾米听到她说。火石在犹豫，克莱尔用鞭子敲打地面。“继续！走！”

火石朝外走去。

艾米后退了一步。她不想让克莱尔看到，怕打消她的积极性。她真的打算要训练它吗?

她看到克莱尔在地上敲打训马索。“小跑！”

火石看着她。“小跑前进！”克莱尔说，再次用鞭子击打地面。

令艾米吃惊的是，火石开始小跑起来。她看到克莱尔脸上掠过吃惊的神情。“走！”她对它说，像艾米惯常那样将鞭子对准它的肩膀。火石放慢速度开始步行。

“好小伙儿！”克莱尔赞扬道，“转！”

火石听她命令的时候克莱尔差点儿被训马索绊倒。“继续小跑！”她喊道。当火石再次小跑起来时她惊奇地笑了，笑意点亮了她的脸。

艾米感到一阵喜悦，但她克制住了自己不要往大门跑。克莱尔做得这么好，她不想打扰她。

又过了几分钟，克莱尔再次让火石停了下来，喊它到中间来。它走了过去。

“好小伙儿！”她喊道，走向前去拍了拍它。

火石突然把头伸到空中，艾米的心跳停止了片刻，她以为克莱尔会畏缩，但成功的喜悦给了克莱尔勇气，她没有。

“不！”艾米听到克莱尔坚定地说。克莱尔拉紧松散的绳子，走近这匹灰马，再次拍了拍它的脖子。

这次，火石接受了。它喷了喷鼻息，扭过头来，看着她。艾米第一次在它眼里看到了一丝敬意。

克莱尔揉了揉它的额头，笑了。

一阵轻松和喜悦淹没了艾米。克莱尔和火石之间的战争远没有结束，但她知道她们已经打赢了第一场仗。她迫不及待地要把这个好消息告诉泰。突然，过去十天所有的争吵都烟消云散。只要能去告诉他，让他分享她的喜悦，别的什么都不再重要了。

和他争吵真蠢，她心想，匆匆跑过院子去找他。如果没有泰我能干什么？他是唯一真正懂得的人！

她朝饲料室和马具室张望，突然想起电话铃刚才响过。她朝敞开的厨房门跑去。她一走近就听到他的声音，他还在接电话。她放慢脚步，不想打扰他。

“是的，工资非常高，”她听到他在说，“一周休息两天，听起来很好。”

工资？艾米停住了。休息？

一阵静默。

“是的，当然了。我会让你知道的，格兰特夫人。”她听到泰说。

格兰特夫人！艾米僵住了。瓦尔·格兰特正在跟泰讲工资和休假的事。他说他会告诉她的。他肯定不会真的要考虑接受绿石南的工作吧？

她从厨房往后退，接着转身朝院子跑去，跑进了饲料室。她在一捆干草上坐下，胃里翻江倒海。泰不会离开的。没有了他，她怎么能把赫特兰德马场经营下去？她把头埋在手心，努力忍住眼泪。

几分钟后，她听到有脚步声朝牲口棚走来。她用运动衫的袖子擦了擦脸，站了起来。

泰走了进来。他看到她时停住了脚步。“你在这里干什么？”他皱起眉头，“怎么了？”

“没什么。”她迅速说。

“你是不是在哭？”他边问边朝她走近。

“没有。”艾米感到泪水再次在喉咙里涌起，赶紧低下了头。

“艾米？”泰抓住她的胳膊，“出什么事了？”

“什么事都没有！”艾米喊道，她看到他熟悉的脸上充满关切，心里充满伤害和背叛。他都计划要离开了，怎么还能露出这样的神情？她知道自从本来后，他的日子很不好过，但她没想到情况会变得这么糟糕。

尽管她还没有对泰完全敞开心扉，但她希望如果泰真的想离开，至少也应该亲口来告诉自己。艾米认为这都是她的错，如果她对泰一直都是诚实的，事情不会走到这个地步。但现在艾米没有什么可以做的了，也许已经太迟了，泰已经改变了主意。

“有什么我可以帮你的吗？”泰问。

突然间她的心被什么东西紧紧抓住。她把手臂抽开，“不，”艾米说道，“这是我自己的事情，我自己会处理，这儿没你什么事。”

泰的脸刷地变得惨白，好像听到更多艾米话里话外的意思。

“那好，很好。”泰说，转身走出了牲口棚。

艾米再次瘫倒在那捆干草上，号啕大哭起来，她无法面对泰会离开的消息，却没办法和泰好好地谈一谈。

第九章

十分钟过去后，艾米终于控制住了自己，可以去训练场了。她从火石的水桶里泼了点水到脸上，朝训练场走去。她身负重任，惠特莉夫人把克莱尔和火石交托给了她。艾米深吸了几口气，克莱尔会在干什么呢？

她又在训练火石。火石绕着她慢跑。看到艾米，克莱尔让火石停下来。“快看！”她开心地说，“它让我训练它了！”

“这太好了。”艾米说着走进了训练场。

克莱尔皱起眉头。“你好吗？你看起来……很奇怪。”

艾米勉强笑了笑。“我很好，谢谢。”

“泰跟你说了什么？”

“噢，只是谈一匹马，”艾米撒了个谎，她拍了拍火石，“你能独自训练它真是太棒了。”

“是啊！”克莱尔说，陶醉在自己的欢乐中。“我骑着它走了一会儿，做了些T字形按摩。它表现那么好，我就想我来试试训练它，结果它很听话。”她咧嘴笑了，“我都等不及告诉妈妈了！”

当克莱尔把成功训练火石的事告诉泰时，他热烈地祝贺她。“我就知道你能做到！”他说。

“谢谢，”克莱尔说，笑盈盈地望着他，“我知道以后我每天都必须努力训练它，试着和它建立起真正亲密的关系，但至少这是个良好的开始。”

“的确是。”泰说。

克莱尔走后，泰直到那天晚上离开，都没有跟艾米说过一句话。“我明天休假，”他去马具室拿外套时简单地说，“那，周日见。”

艾米点了点头。“拜。”

她目送泰远去，思绪如麻，心里乱作一团。她想追上他，恳求他别离开赫特兰德马场，告诉他没有他，她就不能经营这个地方。但她也觉得自己受到了深深的伤害，她怒火中烧，他怎么能背叛她，去投奔绿石南。

她用力吞了吞口水。她要怎么办?

克莱尔第二天上午九点就到了。艾米从来没看到她这么早来赫特兰德马场。“我等不及再来训练它，”她说，“妈妈要到今天下午才会来接我。我能不能训练它两次?”

“当然可以，不过两次时间都不要太长。”艾米说。

“我在两场训练中间会给它做些T字形按摩，”克莱尔说，“另外给它梳洗一下。”

克莱尔对火石的第一场训练进展良好，第二场甚至更好。艾米在大门边看着，“你干得很好！”她鼓励道。

这时本来到她身边，“她有进步对不对？”他说。

艾米点了点头。“问题的关键是自信，”克莱尔让火石转身朝反方向慢跑开去时艾米说，“现在她知道能让火石照她说的做，就变得越来越自信了。嘿，克莱尔！”她喊道，“试着不用训马索来训训它怎么样？”

克莱尔让火石停了下来。“什么？真的吗？”

“嗯，”艾米说，“只用鞭子，训练方法和它系着训马索时一样，让我们来看看它会怎么做。”

克莱尔牵着火石朝大门走去，解开了训马绳，把它交给了艾米。

她把火石牵回到训练场中央，然后松开了它的马笼头。“走。”她对火石说。火石乖乖走开了，但它好像突然意识到训马索不见了，于是停住了。

“用鞭子！”艾米迅速做出指示。

克莱尔用鞭子在地上抽打。“往前走。”

火石犹疑不决。艾米屏住呼吸，但令她如释重负的是，那匹灰马朝前走了。

“小跑！”克莱尔迅速说，再次在地上抽打鞭子。

人马之间没有绳子联系，火石小跑起来，它流畅地兜圈小跑。

“转！”克莱尔喊道。

火石臀部一个飞转，改变了方向。

“这太神奇了！”本对艾米说。

“干得好！”艾米喊道。

又跑了几圈，克莱尔让火石停下，喊它到自己身边来。“我做到了！”她说，开心地拍了拍它。“我明天还要再来。它很棒，对不对？”

“你们俩都是！”艾米说，克莱尔牵着火石走过来时艾米帮她打开了大门。

“我从来都不相信自己能做到。”克莱尔说，看起来很惊讶。她双眼熠熠生辉，“你看到它改变方向时的样子了吗？动作真快！”

艾米点了点头。她看到了，更重要的是，当它心甘情愿服从克莱尔的命令时，她在火石的眼中看到了敬意和信任。

“它像是变了个样。”他们跟着克莱尔和火石穿过院子时本对她说。“我的意思是，我亲眼看到过，就在一个星期前它还不让她靠近。”

“而现在它对她俯首帖耳，”艾米表示赞同，“不是因为它受到了逼迫，而是因为它选择这么做。这是一种伙伴关系，他们之间的感情越深，它就越会为她努力。”她看着本，“拥有一匹全身心为你奉献的马，这难道不是每一个顶级赛手想要的吗？”

艾米希望本能细细体会她的话，她先走开了。要想解决赫特兰德马场的问题，唯一的方法就要看她能不能让本开始像她和泰一样工作。如果他们不得不让本走，他们就会重新面临几个星期前他们所面对的压力，她去上学时活儿太多，泰根本没办法做完。

当然，那还要看泰愿不愿意留下。艾米感到很难过。她得想出人人都能接受的万全之策。

那天下午克莱尔离开之前，她问艾米能不能让她妈妈第二天过来，看她怎么训练火石。

“当然可以。”艾米说。

“我想她会大吃一惊的，”克莱尔开心地说，“好了，那明儿见。”

“好的，再见。”艾米回答道。

她想着第二天，泰会怎么做？她在他身边要怎么做？她该不该告诉他，她听到了他和瓦尔·格兰特的电话？但那该有多尴尬啊！她不能告诉他，她偷听他的私人谈话，而且如果她说了，他回答说他要走……那她又该怎么办呢？

周日早上克莱尔和她妈妈到达时，艾米正在打扫一间马厩。

“你好，艾米，”惠特莉夫人说，“克莱尔说我今天可以来看她训练马。”

艾米点了点头。“是的。”

“我去梳洗下火石行吗？我能把它牵出来吗？”克莱尔急切地问道。

“当然，但要先给它做下T字形按摩。”艾米说。

“好的。”克莱尔说。她转向她妈妈，“来吧，妈妈，过来看看什么叫T字形按摩。”她双眼亮起来，“说不定你也能帮它按按！”

艾米吃惊地看着克莱尔。她从来没有看到她这么开心兴奋过。昨天的成功似乎彻底改变了她。只希望火石今天也能好好配合她，艾米心想。如果它当着惠特莉夫人的面调皮捣蛋，那可就糟糕了。

五分钟后本到了，今天原本该他休息的。他过来找她，“我要骑瑞得出去转转，”他说，“你想一起来吗？”

“谢谢，但我还是不了，惠特莉夫人到这里来看克莱尔训练火石了。”艾米说，她放下干草叉，“我希望它好好表现。”

本点了点头。“它一定会的，那稍后见。”

艾米打扫完了马厩，决定去看看克莱尔进展如何。她穿过院子时，看到本骑着瑞得出发了。

“骑得开心！”她喊道。

克莱尔正在火石的额头上打圈做T字形按摩。火石放低了脖子，全身放松，半闭着眼睛。艾米感到松了口气。

惠特莉夫人看到艾米笑了，“克莱尔正在给我讲解这个T字形按摩方法，太奇妙了。”

克莱尔扭过头来，“我现在可以带它去训练场了吗，艾米？”

艾米点了点头，“先用训马索，等它放松下来了再取下来。”

克莱尔往马具室走去。

惠特莉夫人目送她离开。“克莱尔的改变简直让我不敢相信，”她对艾米说，“她过去几天都非常开心，嘴一刻都不停！”

艾米点了点头，“我想，是驯服了火石极大提高了她的自信。”

“她真的能独自对付它吗？”惠特莉夫人问道，“坦白说，她说我今天能来看她训练时，我很怀疑，她的进步似乎太快了点。”

“我们一直在用紫罗兰叶油来帮助它放松，每天给它做T字形按摩增进他们之间的感情。”艾米解释道，“但真正的突破是在克莱尔昨天独自训练它时实现的。”她看到惠特莉夫人面露好奇。“我想是因为她突然意识到了如果她坚定一点，它就会按照她想要的去做，这样一来，她也就不会怕它了，”艾米继续道，“火石已经开始尊重她了，现在他们很有可能能发展成真正的伙伴关系。”

“对一个十五岁的女孩来说，你懂的可真多。”惠特莉夫人说。

“是我妈妈教我的，”艾米说，“如今她去世了，泰和我一起照顾马。”

话一出口，她才意识到自己在说什么。她的呼吸卡在了喉咙里。她就这么自然地说起泰和她一起照看马，但这种情况还能持续多久呢？自从那天上午后，他就几乎没有跟她说过话，她看到他在院子里忙活时，都是紧绷着脸，眼神冷冷的。

就在这时，克莱尔回来了。“好了，”她说着把训马索系到了火石身上，“走吧。”

她牵着火石往训练场走去。“记住，它刚开始会有点儿兴奋。”艾米警告克莱尔，她看到这匹纯种马慢跑着穿过院子，竖起了耳朵，抬起了尾巴。

克莱尔点了点头。

艾米打开了大门，火石跳跃着跑进了训练场。

“小心，宝贝！”惠特莉夫人喊道。

克莱尔走到训练场中央。“走！”她对火石喊道。

火石高兴地一跃，朝训练场外侧冲去，接连弓背跃起了两次。艾米的心跳几乎要停止了。克莱尔会怎么做?

“小跑！”克莱尔坚定地说，在它身后的沙地上抽了一鞭子。“小跑向前！”

艾米看着她的脸。她双眼锁定在马身上，双肩和它平行，敦促它前进。火石迟疑了片刻，看起来像是又要往前冲，但克莱尔再次往地上抽了一鞭子。“火石，小跑！”

这匹灰色公马甩了甩头，服从了她的命令。艾米心中升起希望。看上去，克莱尔能行！

“慢跑！”克莱尔坚定地命令火石。它慢跑起来。克莱尔放出训马索，让它大圈慢跑，最后，它开始放松了，垂下头来。

艾米的呼吸开始恢复正常。

“嘿，她应对自如。”惠特莉夫人说。

克莱尔命令火石放慢速度，让它转向后，往反方向慢跑起来。她双眼锁定在这匹马上，脸上焕发出自信的光彩。过了一会儿，她拉住了它。“我现在要取下训马索了。”她说。

“你确定要这样做吗？”惠特莉夫人问道。

克莱尔点了点头。“它会听话的，妈妈。”

解下训马索，她让火石往训练场外围跑去。“慢跑！”她下令道。

没有绳索约束，这匹漂亮的灰马开始慢跑起来。这匹纯种马大步流星，在沙地上飞驰，但身体很平稳，双眼紧盯着站在训练场中央的克莱尔。

“小跑！”克莱尔说。

火石听从主人的命令慢下来开始小跑，它这么做不是因为它受人控制或是被迫，而是因为它想和她合作。克莱尔肩膀与火石保持平行，命令它转向，往反方向慢跑。火石照做了。

看到火石如此心甘情愿地服从克莱尔的命令，看到克莱尔脸上洋溢的骄傲和喜悦，艾米感到喉咙里突然升起一股涩意。再没有什么比看到人和马平等合作更令人开心的了。彼此信任和尊重，这正是赫特兰德马场工作的意义所在。

身后一个声音响起，她转身一看。泰和她保持一点距离站着。他突然看到艾米在看他，于是走开了。

训练场里的克莱尔命令火石停了下来。“你觉得怎么样，妈妈？”她说，把它牵了过来，双眼熠熠生辉。

“太神奇了，它太棒了！”克莱尔让火石停下了，

“我能留着它对吧，妈妈？”

惠特莉夫人微笑道：“当然能。”

“噢，谢谢！”克莱尔高兴地喊道。她张开双臂抱紧了火石的脖子。“你听到了吗，火石？我能留着你了！”

火石轻嘶了一声，蹭着她的脸颊。

克莱尔吃惊地扭头说：“它从来没有这么做过！它也许开始喜欢上我了。”

火石朝克莱尔的头发喷着鼻息，艾米看到它乌黑的双眸中闪动着尊敬和信任。她笑了，她有一种感觉：火石和克莱尔之间最棘手的问题已经解决了。

“好吧，现在我们决定了，你可以留着它，我想我们要去找个房子了。”惠特莉夫人对克莱尔说。

克莱尔吃惊地看着她。“但我们已经租了房子。”

惠特莉夫人微笑道：“我说的是要买的房子。我真心喜欢这个地方，这里有适合我的工作，看得出来这对你也有好处，你在这里显然很开心。”她顿了顿，“而且我知道，和你父亲住近点对你很好。”

“噢，妈妈，这真是太好了！”克莱尔喊道，“我喜欢永远住在这个地方。”她转向艾米，“噢，艾米，这实在太好了，对不对？”

艾米咧嘴笑了。“这下你每天都得见艾什莉了！”

“管她呢。”克莱尔说。她亲了亲火石柔软的灰鼻子。“我有火石就够了，其他什么都不重要。”

艾米刚和惠特莉夫人和克莱尔道完别，电话铃就响了。她跑过去接。

“你好，赫特兰德马场，”她说，“我是艾米·弗莱明。”

“嗨，”一个女人的声音说，“我能跟本·斯蒂尔曼讲话吗？”

“当然行，但他这会儿骑马出去了，”艾米说着突然看到本正骑马从院子里走过来，“他刚回来了，我要跟他说是谁给他打的电话？”

“就说是他妈妈。”

艾米把话筒放在一边，朝门走去。“本！你妈妈的电话！”

本跳下瑞得。“你能帮我牵着它吗？”

“当然。”艾米说。

她接过瑞得的缰绳，本朝厨房跑去。刚骑过的马身上还冒着团团热气，看样子本骑得很猛。艾米决定要帮助瑞得冷静下来，开始牵着它四处走动。

五分钟后本从房子里出来了。

“你妈妈想干什么？”艾米问道。她突然看到他脸上阴云密布，怒气冲冲。“是坏消息？”

“她不来了！”本说。

“不来了？”艾米反问道。

“不来看比赛了。”

“噢，本，真遗憾。”艾米说。

本抓起瑞得的缰绳。“我真蠢，居然会相信她真的会来！她总是言而无信，一直都这样。”他的脸绷紧了，“好吧，从现在起我不会在乎，她想干什么就干什么。只有我和瑞得，我只在意这个。”他把脚踩进马镫里，翻身上马。

“你要干什么？”艾米吃惊地问。

“我要去为比赛而训练，”本说，“妈妈也许不会来，但这并不能阻止我。我不需要她，我不需要任何人。”

他咂了咂舌头，命令瑞得往前走去。

“但是本，你刚骑马回来，”艾米反对道，走到他身边。“瑞得身上还冒着热气。”

本不理她，骑着瑞得小跑着穿过院子走远了。

听到马蹄的得得声，泰从饲料室走出来。“本在干什么？”他质问道，往院子里走去，“我觉得他好像才骑马从路上回来。”

“是的。”艾米说，“但他接了他妈妈的一通电话，就变得有点儿发狂。他说他要带瑞得去做跨越障碍训练。”

“我去看看！”泰阴冷地说。

他气冲冲地穿过院子，艾米紧跟其后。

训练场里，本正骑着瑞得向一个障碍慢跑过去。那个障碍很高——至少有四英尺。

“本！停下来！”艾米喊道，往前跑到了大门边。

但本充耳不闻。他一鞭子抽到瑞得的脖子上，那匹栗色马轻松地跳过了障碍。本拉着瑞得停了下来，把柱子升高了一英尺。

“你这是在干什么？本？”泰问道，大步走进了训练场。

“训练我的马跨越障碍！”本几乎是咬着牙说的，他跳上瑞得的背，“别挡着我！”

泰一动不动。本拉紧瑞得的缰绳，骑马慢跑着从他身边经过。

“本！不要！”艾米说，当她看到本让瑞得转向障碍时她的心跳到了嗓子眼里。有那么可怕的一刻，她仿佛看到自己的父亲骑着珀加索斯跳过障碍，柱子卡在了珀加索斯腿间，马和骑手都跌倒在地上。本已经闹够了！她飞跑过沙地，朝障碍跑去。“停下来！瑞得累了！这对它来说太高了！”

本又在这匹栗色马的脖子上抽了两下。有那么一会儿，瑞得看上去像是要起跳，但接着它失去了勇气，停了下来。

“来吧！”本喊道，抽打瑞得的臀部。

瑞得惊慌起来，避开障碍，径直朝艾米的方向跑来。那一刻，艾米眼中只有瑞得惊恐的眼睛和吐着白沫的嘴，接着她感到泰抓住了她的肩膀，把她拉开了。

“你这个白痴！”泰冲本咆哮。

艾米感到自己的心如鼓擂，都要从胸腔里蹦出来了。她看到本的脸上露出震惊的神情，他的双眼再次暗了下去。他拉着瑞得转向障碍，鞭子一挥，落到瑞得的屁股上。

“快停下，本！”艾米尖叫道。

看到障碍，瑞得惊慌失措，跃入空中。本吃了一惊，把身子往瑞得的脖颈挪去。这给了泰需要的机会。他穿过沙地，当这匹栗色马着陆时，他抓住了瑞得的缰绳。

瑞得吃惊地往后闪，但泰紧紧抓住绳子不放。“停下，小伙子，放松！”

“你这是在干什么？”本喊道，调整好了坐姿，试图夺回泰手中的绳子。

泰放掉缰绳，抓住了本的腿和手臂，把他从马鞍上拉了下来。

瑞得吃惊地闷哼一声，躲开了。本的手松开了，人落到了地上。有片刻，艾米觉得泰要揍他。

“泰，停下！”她喊着跑了过来。

泰放开手。他怒视着本，呼吸粗重。“滚出这个马场。”他说，他克制不了愤怒，声音气得发抖。“滚出这个马场，马上，再也别回来！”

本站起身，他的衣服上沾满了沙子。他瞪着泰看了一会儿，迅速转身，快步穿过院子，拿起瑞得的缰绳，牵着它走出了训练场。

艾米惊呆了。她看了看泰愤怒的脸，接着看到本走出了院子。她走上前去。

“别去追他，艾米。”泰激地动说。

艾米停下脚步望着他。“我必须去，我不得不去。”

泰紧盯着她。“如果你去了，我就走，”他说，“我受够了，艾米，我已经做了足够多的妥协。看到这样残忍的行为，我不打算再袖手旁观下去，就算是为了你也不行。”

“你这话什么意思？”艾米小声说。

就在这时突然传来一声惊叫。本朝大门跑来。“艾米！”他喊道，“艾米！瑞得出事了！快来！”

第十章

艾米不假思索地朝大门跑去。

“瑞得在马厩里倒下了！”本喊道。

艾米跑过院子。来到瑞得的马厩时，她看到这匹栗色马正试图翻动身体。“急腹痛！”她说着从马厩门上抓起马笼头，“快！扶它起来！”

本已经取下了瑞得的马鞍和马笼头。他抓住瑞得的马鬃，鼓励它站起来。这匹栗色马跌跌撞撞地站起来，但还没站稳，腿就立即弯曲了。“牵着它走动，”她说，赶紧给它戴上了马笼头，“它不能那么乱动，否则会扭到肠

子。我去叫泰。”

“泰不会帮忙的！”本说，“打电话叫兽医吧。”

“我先去找泰。”艾米说，她看到本的脸色，“只要是马有困难，泰都不会坐视不管的，无论马主人是谁。”

她从院子里往回跑。泰正绷着脸从训练场往回走。

“泰！”艾米喊道，“瑞得腹绞痛，情况很严重。本正在牵着它走动。”她抓住他的手，“求你了，泰！你不能不管它。”

泰凝视着她。“你真以为我会拒绝帮助一匹有困难的马？”

“不……我……不是这样的。”艾米结巴起来。

“嗯，谢谢，艾米。”泰气恼地说。他挣脱了她的手，大步穿过院子，但艾米在他眼里看到了前所未有的彻底遭受背叛的感觉。

本正牵着瑞得在院子里走动，马的腹部都被汗水濡湿了。看到泰，本的脸即刻绷紧了，但泰不理会他的表情。“你知不知道是什么引起的？”他问道。

有片刻，本看上去不想回答，但他更关心瑞得的安危。“不知道，它在小路上的时候都很好。”他说，牵着瑞得停了下来。

“它在外面有没有吃什么东西？”泰问道。

“没有，好吧，没吃什么有害的东西。我让它停了一会儿，在一块田的一边吃了点青草。”

“不是割下来的青草？”泰快语道。

“当然不是！”本愤怒地说，“那之后我也没让它喝水槽里的水。我不傻，我知道什么会引起腹绞痛，你知道的！”

“冷静，本！”艾米说，“泰只是想帮你。”瑞得的腿又开始蜷缩。“站起来，小伙子！”本喊道，牵着它再次走动。

“艾米，你能去给斯科特打个电话吗？”泰说。

“当然。”

艾米跑进屋里，但斯科特所在的兽医中心的接线员告诉她斯科特接到电话外出了。“我会尽快把这个消息告诉他。”接线员告诉艾米。

“请你务必尽快转告。”艾米恳求道，她朝窗外望去，看到瑞得正在痛苦地踢打地面。

她一放下电话，卢就走进了厨房。“发生什么事了？”她看到艾米焦灼的脸色问道。

艾米飞快地把情况告诉了她。

“这太糟糕了，”卢说，“我能帮上什么忙吗？”

艾米摇了摇头。“你做不了什么，但你可以在十分钟之内给兽医中心再打电话，看看他们是否接通了斯科特，问问他们知不知道斯科特多久才能来。”

“好的，”卢说，“我去叫外公。”

艾米匆匆走到门外，把情况告诉了本和泰。“他们正在想办法和斯科特取得联系，他有事外出了。”

外公和卢匆匆从房子里走出来。杰克·巴特利特瞧了瞧那匹饱受煎熬的马。“是腹绞痛，对不对？”他问泰。

泰点了点头。“但我们不知道是什么造成的。”

瑞得突然摇晃起来。“它情况更糟了！”本说。

“让它一直走动着。”杰克·巴特利特在一旁指导。

本继续牵着瑞得走动。“我不敢相信会这么快，”他说，“腹绞痛通常不会恶化得这么快，是不是？”

“也许不仅是腹绞痛。”泰若有所思地说。

本转向他。“当然是腹绞痛！你也看到它不停地想打滚。”

“你认为还有可能是什么情况？泰？”杰克·巴特利特飞快问道。

“有可能是中毒，”泰说，“腹绞痛也许只是症状之一。”

“中毒？”艾米反问道，心急速下沉。

泰匆忙朝瑞得的头边走去。“抓紧它。”他对本说。他打开马嘴，“被我猜中了，我肯定没猜错。看看它的牙龈，都开始红肿了！”他转向本。“它吃了什么？”

“除了草什么都没吃！”本绝望地说，“我检查过了，草里什么也没有，是一块田一侧的嫩草。”

艾米的心怦怦乱跳。她知道治疗中毒必须反应迅速，但查明究竟中的是什么毒也至关重要，因为只有这样才能对症下药。但他们怎么才能及时查出瑞得究竟中了什么毒呢？

“那块田在哪个地方？”泰问道。

“我不知道，”本说，“在南边。看起来像是刚刚播种过。”

“刚播种？”泰重复道。

“你是不是想到它中什么毒了？泰？”外公问道。

泰没有回答。他迅速把一只手抬到瑞得面前。这匹栗色马笨拙地向后躲闪。泰点了点头，“是这样没错。”他严肃地说。

“是什么？”艾米问道。

“是汞中毒。”泰说。

本盯着泰，“但瑞得根本没有接近过汞！”

“有机汞化合物有时候会用作拌种剂，”泰说，“那块田肯定用过，拌种剂沾到了旁边的草上。”

本面色煞白，“但汞的毒性很大。”

外公迅速说："我们能做点什么吗？泰？我们能不能给它灌肠？给它吃点什么？"

"如果真是汞中毒，那我们得尽快把它体内的汞逼出来。"泰答道，"否则有可能会造成肾衰竭。我们可以用饱和的碳酸氢钠溶液来给它灌肠，这能帮助把汞清洗出来。"

"但如果不是汞中毒怎么办？"艾米小声说，看了看瑞得，又把目光转移到泰身上，"如果碳酸氢钠没起作用，或反而使得情况更严重了可怎么办？"

"这是一场冒险，"泰承认，"但如果我们等斯科特赶到这里，有可能会太迟了。"他看着本，"你来做决定，本。"

本犹豫不决。瑞得痛苦地呻吟，膝盖打曲。"照你的方法给它治！"瑞得瘫倒在地上时，本突然下定了决心。"我愿意承担风险！"

"艾米，杰克，你们能把瑞得弄到它的马厩里去吗？"泰说，开始朝院子里跑去，"我去配溶液。卢，你能再给兽医中心打个电话吗？就说情况真的非常紧急！”

大家都遵照泰的吩咐行事。艾米、外公和本敦促瑞得站起来。它的双腿站立不稳，但好歹把它送进马厩里了。本面如死灰地牵着瑞得转圈，不让它躺下。“万一它有什么不测，我是绝不会原谅自己的。”他说，“绝不会！”

泰拿着三个装满饱和碳酸氢钠溶液的旧塑料瓶走了进来。

“没关系了，你让它躺下，”泰说，“只要不让它翻滚就行了。”

本让瑞得睡倒在麦秸上。泰跪在这匹马头边，打开了第一个瓶子。“来吧，小伙子。”他说，让马头向后仰，“我知道你不喜欢这样，但恐怕我们也没有其他选择了。”

当泰开始把液体往它喉咙里灌时，瑞得挣扎着想把头扭开。

“我来抓住它。”本说着动作迅速地挪到泰身边，稳住瑞得的脑袋。有本在那里抚摸它的脖子和脸，瑞得平静了下来。

“别把它的头抬得太高，否则会呛着它。”泰说。

“来吧，小伙子，”艾米小声说，跪倒在它身边，抚摸着它发热的脖子，“你会好起来的！”她望了一眼站在马厩门边专注观望的卢和外公。

泰倒完了一瓶，开始倒另一瓶。“你确定这么做是对的？”本说，望着大量的液体稳定地注入瑞得的喉咙里。

“我们只能尝试将毒洗出来。”泰说。他倒完了第二瓶。“好吧，我们让它休息几分钟。”

本松开了瑞得的头，抓起一小捆麦秸，把瑞得汗湿的身体两侧擦干。

艾米看到这匹马烦躁地望着自己的肚子。

“没事的，小伙子。”她说，挪到它头边，开始在它的耳朵和脸上打圈做T字形按摩。“会没事的。”

艾米的手指灵巧地移动，病中的马经常对耳部按摩反应良好。慢慢的，瑞得不再看着自己的肚子了。

“它似乎很喜欢这样，”本说着走过来，“你能教我怎么做吗？”

艾米跟他讲解怎么打圈，本接替了她的位置，蹲在了瑞得的头边。

艾米摸了摸这匹栗色马的腹侧。它的皮肤依然湿热，腹侧微微颤抖。

“它呼吸很浅。”她低声对泰说。

“我们再给它灌洗。”泰说，神色焦急。

“我再去给你拿一些来。”外公说。

就这样，轮流灌肠和使用T字形打圈按摩，艾米、泰和本在瑞得身上忙个不停，跟它讲话，鼓励它、安慰它。

“来吧，小伙子。”本恳求道，“你能做到的！”他转向泰，“还有没有其他可以给它服用的？”

泰摇了摇头。

本把头埋在掌心里。“它会好起来的。”

“继续给它按摩。”泰严肃地说。

就在这时电话铃响了。“我去接！”卢说着匆忙走开了。

几分钟后，她跑回来了。“是兽医中心打来的，斯科特已经在路上了。他们说他二十分钟左右应该能到。”她关切地看着泰，“来得及吗？”

“希望如此。”泰说。

本挺直肩膀。“会的！”他又开始按摩瑞得的耳朵，“必须这样。”

外公再次出现在马厩门口，他看着湿漉漉、脏兮兮的草垫。“需要给它换些干净的麦秸。来吧，卢，帮帮我。”

当卢和外公抓来干净的麦秸，开始在地上铺上厚厚的一层时，艾米摸了摸瑞得的身体两侧，突然感觉到她手指下的皮肤似乎不那么烫了，而且又重新冒出汗水来。“嘿！”她说，“我觉得它平静下来了，真的！”

大家都把目光转向瑞得。它的头一动不动地靠在麦秸上，但眼睛里不再有之前的惊慌，每呼吸一次鼻孔也没有张大。

“你说得对！”本说，“来吧，小伙子！”他开心地说，“你会好起来的。”

艾米浑身仿佛注入了新的活力，重新忙碌起来。噢，求你了，她暗自祈祷，但愿这意味着瑞得能度过这个生死难关。

二十分钟后，房外传来猛烈的刹车声和轮胎在地上的刮擦声。

“斯科特！”当兽医出现在马厩门口时，艾米如释重负地喊道。

“我尽快赶过来的。”斯科特说着跪倒在瑞得身边。

“我想是汞中毒。”泰快语道。他跟斯科特讲了瑞得吃过青草的事情。“它显得紧张，还有缺乏协调性的症状，也有严重的腹绞痛。我们不知道你什么时候才能到，所以我就碰了碰运气，给它治疗了，我用饱和碳酸氢钠溶液给它灌肠了。”

斯科特摸了摸瑞得的脖子。“你做对了。实际上，要不是你行动果断及时，它也许会丧命。”他看着本，“这是你的马，没错吧？”

本点了点头。“它会好起来吗？”他焦急地问。

“我会给它注射一些依地酸钙钠。”斯科特说，他检查着瑞得的嘴巴，继续说道，“它能让残留的汞在不造成任何伤害的情况下排出体外。我会给它的腹内物质取个样做分析，但看样子是汞中毒。”他站起身，“我去车上拿工具。”

“那它能完全康复吧？”杰克·巴特利特问道。

斯科特点了点头：“接下来几天它还需要注射几针，但我想很快它就能重新站起来了。”

斯科特匆匆走出马厩，艾米坐回到麦秸里，松了一口气，她感到有点儿头晕。突然，那天下午在她内心囤积的紧张感淹没了她，她啜泣了一声。

泰和本吃惊地扭头看她。

“嘿。”泰说，迅速走到她身边，抱着她的肩膀，“你听到斯科特的话了，瑞得会好起来的。”

艾米点了点头，抽噎了一声。她心头一片混乱，她很高兴斯科特说瑞得会好起来，但这并不能抹去那天下午发生的事情。

斯科特处理好瑞得后开始把东西往包里收。“看起来它像是打了一场仗。”他说，指着早先留下的赫然在目的鞭痕，“它身上这些痕迹是哪里来的？”

艾米朝本望去，他的脸涨得通红。“嗯……我……”

“噢，那是他在原野里放牧时弄的，”泰赶紧帮他掩饰，“你知道的，就是马之间的寻常游戏。”

艾米看到本吃惊地望着泰。

“噢，是这样啊。”斯科特说着站起身。

外公已经回到了房子里，但卢依然站在马厩门边。“你想进来喝一杯吗？”她问斯科特。

斯科特微笑地望着她，“谢谢。”他说着拿起了自己的包，“这太好了。”

卢为他打开门，他们一起朝院子里走去。

本转向泰。“谢谢。”他静静地说。

泰耸了耸肩。

“我是真心的，泰。”本继续道，“不光是因为你说瑞得身上的伤痕是在原野里弄的，不是我抽的，帮我瞒过了斯科特。我要谢谢你为我所做的一切，多亏你看出瑞得得了什么病，并及时对它采取了治疗措施。如果不是你，瑞得也许已经死了。”他蹲伏在麦秸里，抚摸着这匹栗色马。“对我来说瑞得比什么都重要，”他轻声说，“它是我的唯一。”

泰皱了皱眉。艾米看到了，本也是。

本苦涩地笑了笑。“噢，我知道你认为我很幸运，我拥有一切，但事实并不那么简单。我十岁的时候爸爸就离开了我们，从那以后我发现很难在学校里静下心来读书。我开始胡混、找事儿。我妈妈没办法让我改好，就把我送来和我姨妈一起过。”

他直视着泰的眼睛。“那感觉就好像她抛弃了我。”本摇了摇头，“我姨妈很伟大，但她一直都有自己的生活要过，她有自己的日程。我很感激她让我对马产生了兴趣，她给了我瑞得，但当她告诉我她想让我到这里来工作时我很抵触，我觉得自己再次被抛弃了。”

他再次转向泰。“听我说，我知道自己处事不当，我不是唯一遭受过不幸的人……只不过我觉得很长时间里，我都找不到归属感。”他抬头看着艾米和泰，“我不想从头再来。我应该告诉你们的，很抱歉我把这一切弄得一团糟。”

“实际上，我……我知道你父母离婚的事。”艾米坦白说，“丽莎告诉了卢。”她感到泰正看着她。

“你们都知道吗？”本说，显然很难为情。

艾米摇了摇头。“泰不知道。”

本看着泰。“好吧，现在你知道了，”他说，“我不是一个好人，也不善于与人打交道，但这不是借口。有时候我觉得，唯一理解和关心我的只有瑞得。”

“本！”艾米喊道，“不是这样的，人生不是那样黑白分明。你妈妈送你到这里来和你姨妈一起生活是有原因的——有好的原因也有坏的原因，就像丽莎送你到这里来一样。她这么做主要是因为她觉得你能在这里学到东西。她显然很在乎你。”

“也许吧，”本说，他微笑了，“不管怎么说，她送了瑞得给我。”他轻柔地抚摸着瑞得的脸。“训练它是我能做好的第一件事。我姨妈在它三岁的时候买下它送给了我。其他人都没办法骑它，但我能。这就是为什么带它去参赛这么重要。我们一走进赛场就能赢，人们为我们欢呼鼓掌，那感觉就好像我突然变得很重要，我是个成功的人。”

艾米这才明白了本为什么那么拼命地想赢。他不仅仅是喜欢成功，而且是需要成功。

本叹了口气。“你知道的，尽管我到这里来后并不顺利，但我很喜欢这里，离开时我会很难过。”

“离开？”艾米吃惊地说。

“是的，离开。”本看着她，“我知道我这样胡作非为，你们是不会让我留下来的。我对瑞得的所作所为是错误的。”他摇了摇头，“比犯错更严重，我生气时就拿它出气，我罪不可赦。”

“不，不是这样的，”艾米诚恳地说，“如果你真的感到抱歉，那么我们可以尝试着去解决问题。但这不能由我说了算，得由泰来决定。”她朝泰望去，泰正专注地凝视着本。

本挪开了视线。“但我以为你们对我恨得咬牙切齿。”他对艾米说。

“我讨厌你的所作所为，”艾米说，“但不是你。”她看着瑞得，“我知道你爱它。”

本点了点头。“我的确很爱它，我要试着重新赢得它的信任。”他抚摸着瑞得的马鬃。“看到它病得这么重，我突然意识到它对我来说有多重要，我也意识到你说得有多正确。我不想让瑞得因为畏惧我才服从我，我想让它心甘情愿地服从我。”他的眼神和泰沉着的眼神相会了。“如果你们想赶我走，我能理解。但无论发生什么，我都想让你们知道，我在这里学到了人生最宝贵的一课。”

艾米看着泰，盼望他会说些自己想听到的话。

他点了点头。“好的，”他静静地说，“希望你能留下来，本。”

艾米看到本的眼睛亮了，感到一阵轻松。

“我会努力工作的，”他快语道，“我会学得很快，我想成为赫特兰德马场真正的一份子。”

突然，瑞得柔声轻嘶，从麦秸上抬起头。

他们彼此相望。

“嘿，小伙子。”本柔声说，伸出手去抚摸它。“你感觉好些了没有？”

艾米看到瑞得把鼻子抬到本的脸上，蹭他的额头，她哽咽了。这匹马的眼神里充满了爱意。尽管本伤害了瑞得，但瑞得已经原谅了它深爱的主人。

艾米和泰走了出来，留下本和瑞得独自待在马厩里。“那么，你知道本的过去多久了？”他们走出马厩外，泰问。

“大约两周。”艾米老实交代，“我不能告诉你。卢让我保证不告诉你。她说如果本知道我们全都知道了，他会很难接受。但对你保密同样很难，我都要被逼疯了。”

“卢也许是对的。”泰说，一只手理着头发，“但我不得不承认，知道你有事瞒着我，我真的很难受。”他摇了摇头，“现在我知道了，我明白你为什么那么维护本了。”

看着他乱蓬蓬的头发和眼神中的倦意，可以看出那天下午他有多压抑，艾米再也克制不了自己。“噢，泰，”她绝望地说，“请别走。我需要你留在这里，我们全都是。赫特兰德马场没有了你，就不再是赫特兰德马场了。”

“走？”泰反问道，“你在说什么呀？”

“我知道你在考虑去绿石南，”艾米急忙道，“我听到你和瓦尔·格兰特的通话了。我听到你说你会考虑，想好了会告诉她。求你了，别走！”

一阵沉默。“艾米。”泰说，他的眼睛搜寻着她的，“老实告诉我，因为本和我之间发生的不愉快，你有没有想过我不会去帮本，哪怕是一分钟？”

艾米没有犹豫。“没有。”她说。

“那你也应该知道我绝不会考虑离开赫特兰德马场，去绿石南工作，”泰说，“我只是太生你的气才说我今天要早点走。”

“但是我听到……”

“你听到我说我会让瓦尔·格兰特知道，”泰说，“如果你听到全部对话，就会意识到我在说：如果我改变了心意，决定换工作，我会告诉她。我在对话一开始就说清楚了，我不会离开赫特兰德马场。”

“这么说你不会走了？”当她听明白他的话时艾米问道。

“不会，”泰说着摇了摇头，“我不会。”

“噢，泰！”艾米说，眼里闪烁着如释重负和喜悦的光芒，“我太高兴了！我讨厌去想没有你我一个人努力继续下去的情景。”

“好吧，你不必这样。”泰握住她的手，看进她的眼睛里，“我的未来在赫特兰德马场，艾米，是和你在一起。”

精彩抢先读

《马背上的女孩》之五

《破晓》

她踢掉靴子，跑进了房子。厨房炉子上的砂锅正咕咕冒泡，但厨房里没有人。突然，艾米听到卢和外公在大厅里的交谈声。她匆匆朝连接门走去，但当她走近时，外公的话让她停住了脚步。

“你没有告诉艾米？”

艾米停住了，手盘桓在门把手上。告诉我什么？她暗想。

她听到姐姐的声音。“只有斯科特知道。我没有得到回复，不想跟她说什么，外公。我不想让艾米抱任何希望。这是多么痛苦的等待……每一天都觉得信随时会到。”

信！艾米感到脊柱发痛。卢一定是在说她一直在等待的英格兰的来信。但这和我有什么关系？她想道。

“卢，你必须向她坦白，”外公说，艾米注意到他的声音里有一丝她从来没有听到过的紧张，“你在写信之前就应该告诉她。”

“但如果他没有回信呢？”卢问。

“艾米依然有权知道，你不能……”

够了。“我有权利知道什么？”艾米再也忍不住了，打开门问。

外公和卢闻声都转过身来。

“艾米！”卢吃惊地喊道。

“你在那里站了多久？”外公飞快问道。

艾米没有回答他，一直凝视着卢。“你应该告诉我什么，卢？”她质问道。

卢绝望地看着外公。“我……嗯……”她结结巴巴地说。

“是什么？”艾米喊道，感到越来越惊慌。“卢，你给谁写过信？”

卢深吸了一口气。“爸爸。”她说。

艾米吃惊得说不出话来。爸爸！她睁大眼睛望着卢。隐约中，她早已知道答案，但她还是感到猝不及防。

“我们在妈妈的房间找到那封信后，我就给他写了一封信。”这些话飞快地从卢的嘴里冒出来，“我按照信封后面的地址寄过去，希望他还住在那里，我跟他说妈妈和……和我们想见他。”

“见他！”艾米喊道，终于发出声音，开始往后退，“你肯定是在开玩笑！”

她感到整个世界都要坍塌了。她这辈子，父亲都是一个遥远、模糊的影子。当然，有时候她对他也很好奇，想知道他长什么样，她是否像他，但她从来都不想见他。他抛弃了她们，尽管她记不起他，她却记得那些让妈妈痛哭流泪的夜晚，无论什么事情，无论什么人都不能安慰她，好像她的眼泪永远流不完。妈妈最终挺过来了，向前走了，还创建了赫特兰德马场。但艾米一直知道，过去在她心中留下的伤痛从未离去，只是被她强行压在了心底。

她摇了摇头。“我不想见他！我不想！”

“但他是我们的父亲。”卢喊道。

“那又怎么样？”艾米喊道，“他抛弃了我们！”

“他只不过是想让生活回到正轨！”卢反驳道，“你看过那封信，艾米，他请求妈妈复合！”

“我才不在乎！”艾米喊道。

“艾米，冷静！”杰克·巴特利特说，朝她走去，“我们根本不知道他有没有收到那封信。那封信是他五年前写给你妈妈的，他也许已经不住在那里了。”

艾米绝望地看着他。“但如果不是呢？”她喊道，“外公，要是他回信了，想到这里来，该怎么办？”她的眼睛疯狂地搜寻着他的脸。外公当然不想让爸爸来赫特兰德马场。“想想看，他对妈妈做过什么，对我们做过什么！”

杰克的眼神中掠过一丝暗影。“我……”他的声音越来越小，那一刻，从他的脸上掠过的神情中，艾米知道她猜对了。

卢肯定也看到了外公的眼神。“外公！”她喊道，吓坏了。

“卢……”杰克刚想开口又说不下去了，他摇了摇头。“听我说，我们别争了，等他真的和我们联系了再讨论不迟。”

“他会的！”卢说，“我就是知道！”

“亲爱的，别寄予太高的期望，”杰克疲倦地说，“毕竟，他一直知道这里的地址，就算你妈妈不想见他，他也可以随时和你取得联系。”

“或许他担心妈妈的反应，”卢说，“现在他收到了我的信，他知道我们想见他。”

艾米感到很愤怒。“是你想，”她说，“别替我做出承诺，卢！”

卢转向她，眼中闪烁着气恼的神情。“艾米！”

“别再吵了！”杰克举起手，看着这对姐妹，“求你们了！”

艾米看到他的嘴角和眼角的紧张，愤怒的话跳到了嘴边又吞了下去。这对外公来说不容易，每当谈及她们的父亲，他总是试图保持中立，但她现在意识到这对他来说有多艰难，是他在艾米父母离婚后，帮助妈妈慢慢还原了破碎的人生，和卢争吵只会进一步刺激他。

艾米叛逆地盯着她的姐姐，没有再说什么。

“谢谢。”杰克轻声说，“现在，我们能不能暂时不要讨论这个问题了？”

艾米和卢怒目而视，她们之间的沉默鼓噪着愤怒，异常沉重。但卢似乎像艾米一样，不愿意进一步刺激外公。她点了点头说：“好！”

艾米也点了点头，看到外公的脸上明显露出轻松的神情。“我去换衣服了。”她小声说，朝楼梯走去。此刻她只想一个人待着。

她坐在床上。思绪混乱，这时候她才想起她是要去告诉外公和卢，有关梅洛迪出现胎动的消息。但是此时此刻，这个喜讯似乎不重要了。卢怎么能不先跟她商量，就给父亲写信呢？

但是在内心深处，艾米知道原因。她的妈妈经常跟她说起卢和爸爸之间的父女感情有多深。她说过他们有多相像，两个人都很实际、勇敢、坚定，艾米看过妈妈保存的他们俩一起骑马的照片。当爸爸抛弃她们时，卢会是什么感觉呢？